S

MASTER ARCHIVE
Earth Federation Force
MOBILE SUIT
RGM-79 GM

Vol.2

V

S03
S03

CONTENTS

■RGM-79N〈吉姆特裝型〉
「吉姆特裝型」曾參與過一年戰爭後規模相對較大的戰鬥「迪拉茲紛爭」，因此廣為人知。突擊登陸艦「亞爾比翁」所屬部隊也有運用與照片中同型的「吉姆特裝型」。

■Text
大脇千尋 (p012-019, p028-035, p052-055, p062-064, p068-071, p079-086, p100-104, p114-119, p122-127)
大里 元 (p020-027, p036-039, p042-049)
榊 征人 (p056-061, p065-067, p072-077, p087-095, p105-111)
吉野英武 (Color Variations)
橋村 空 (captions)

■RGM-79N「吉姆特裝型」是聯邦軍在U.C.0080年代初期至中期制式採用的MS。本機型源自宇宙軍系的奧古斯塔工廠，即使賈布羅、格拉納達，以及格里普斯等各工廠的生產主流早已改為RGM-79R「吉姆II」，卻仍有諸多部署於軌道的部隊使用此機型。本機更具體反映了經由研發RX-78NT-1「亞雷克斯」所得的技術，有著整體均衡性很出色，亦足以對應後續改良需求等機體特質，因此運用頗長一段時間。

508

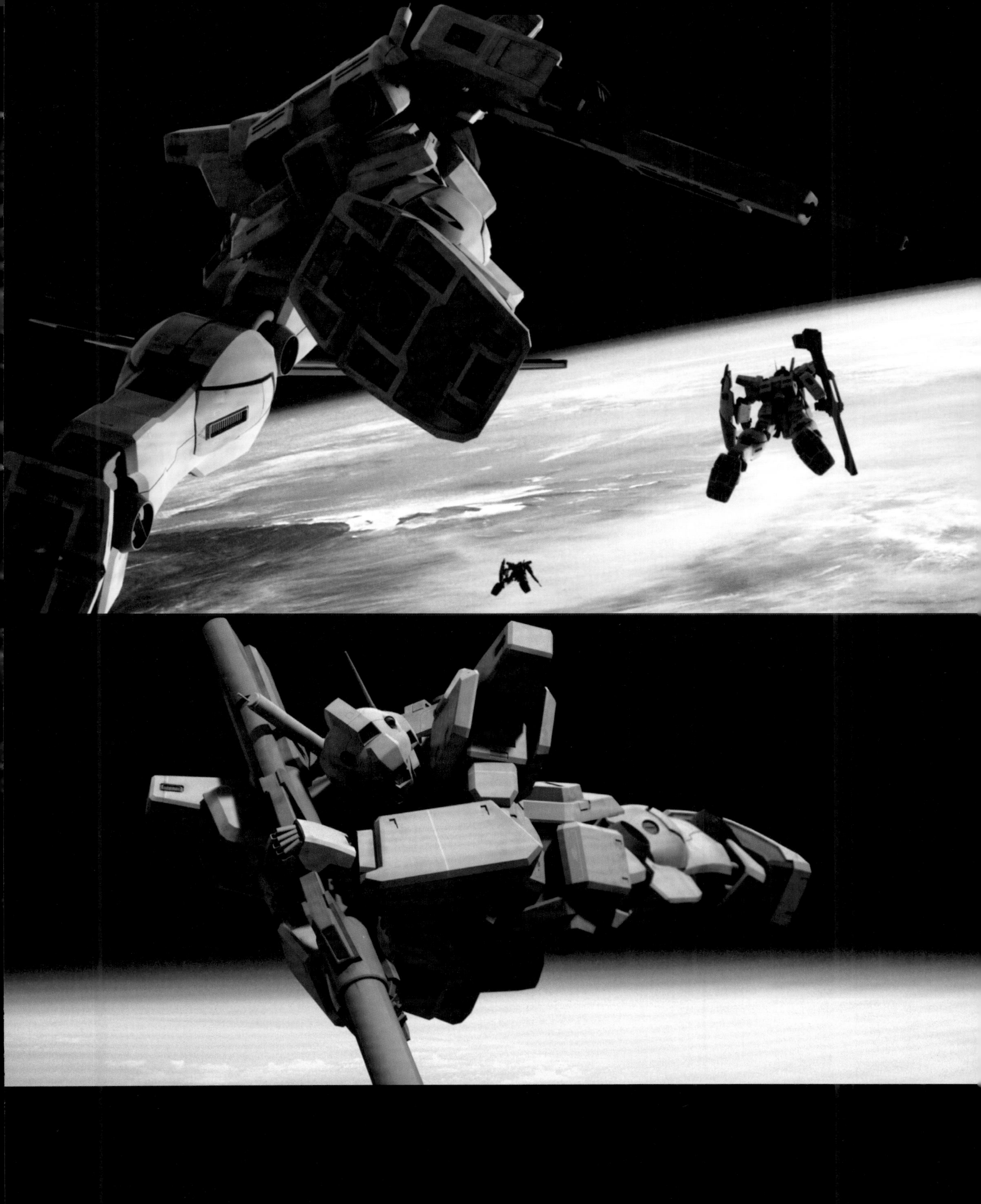

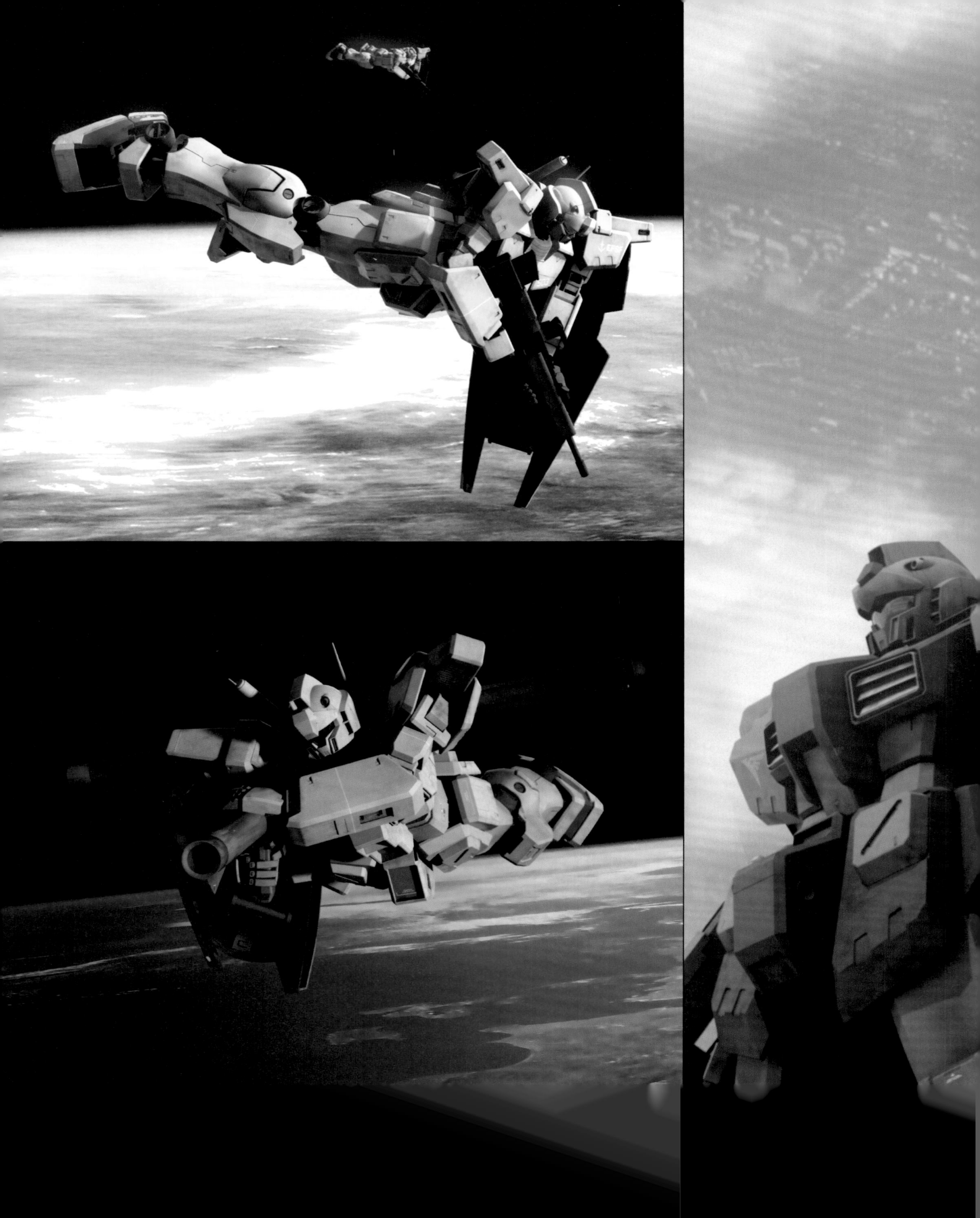

200

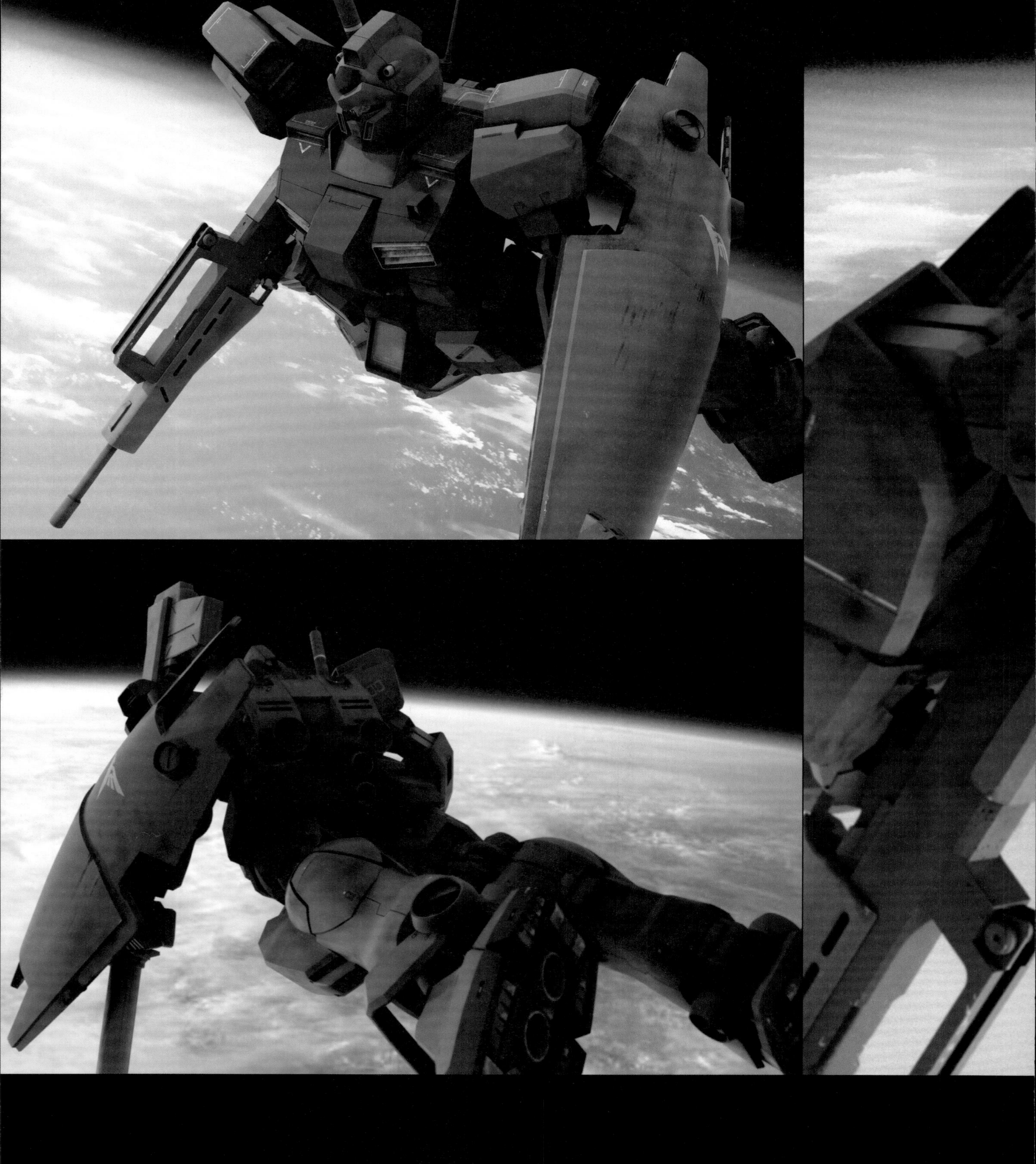

■RGM-79Q「吉姆鎮暴型」，基於勢力不斷增長的聯邦軍治安維持部隊「迪坦斯」主張優先權之故，因此初期生產機體幾乎都分發給這支以執行殖民地維安任務為主的部隊。由深藍與黑色構成的「迪坦斯配色」形象之所以能深植人心，契機正是部署本機型一事。雖然這也令各界普遍認為本機型為「迪坦斯」專用機，但實際上，仍有不少一般部隊也使用這個機型。後來隨著迪坦斯陸續引進新型MS，「吉姆鎮暴型」剩餘機體也就分發給隸屬後方的一般部隊。話雖如此，本機型原本就是優秀的機體，駕駛員給予的評價大致上也都還不錯。

RGM-79吉姆系列的研發與生產

PRODUCTION OF RGM-79 GM SERIES

RGM-79「吉姆」是擁有諸多家族機型的機動戰士（以下簡稱MS），更是在一年戰爭中引領地球聯邦軍在大規模反攻作戰獲勝的動力，這一點無從否定。

其研發與生產是由月神二號和賈布羅等各地兵工廠同步進行，由於不時有版本更新，因此到了戰爭結束時也造就出無數的衍生機型。此外，為了迅速回應前線需求，接連研發各式局地戰用機和特殊任務機，不到一年就令超過數十種的家族機型到達實際運用的階段。可以說這些機型正是數間官營兵器工廠和民間企

業回應陸海空宙四軍要求下的成果，其中也不乏概念十分相近的機體。後來亦有軍事評論家批判某些機型根本是「浪費資源」，但這也反映出戰爭期間的混亂狀況。假使進一步連前線自行修改的機體都算進去，得到的數量肯定更為龐大。儘管統稱「吉姆系列」，但可涵蓋的機體實在多如繁星，想要真正掌握完整全貌可說是極為困難。

本書除了向以FSS（Federation Survey Service）為首的官方機構索取一級資料參考之外，亦經由採訪前地球聯邦軍相關人士與軍需產業出身人士佐證，從聯邦製MS骨幹的吉姆系列衍生機型當中，精心挑選出數架機型加以講解。再者，就研究方法來說，本書將試著從兩個切入點對吉姆系列進行分類與剖析。

一是「戰爭期間的裝甲修改方案」，另一為「戰後研發的後繼機型」。兩者都是以提高性能為目標，雖然概念不同，卻也都達成目的，實在很有意思。在列舉雙方各自研發的家族機型實例之餘，亦會試著連同這些機型對於MS研發史的影響在內，謹慎考證。

■朝向重裝甲化之路

地球聯邦軍乃是把吉翁公國軍當成主力MS運用的MS-05「薩克Ⅰ」和MS-06「薩克Ⅱ」視為假想敵，才於開戰前後進行軍用MS研發。由於這兩個機種分別是使用100毫米和120毫米的機關槍作為主武裝，因此研發RX系列時當然也將這些武器的威力納入考量。尤其RX-77「鋼加農」不僅採用月神鈦合金，更進一步設計成具備重裝甲的機體。

就RGM-79的基礎設計來説，基本上是以先行試作的RX-78「鋼彈」為準，不過為了提高生產效率起見，規格經過更動處也不少。例如裝甲材質從月神鈦合金更換為鈦系合金就是其中之一。雖然更換為造價較低、更易於加工的裝甲材質，用意在於提高生產效率；但反過來説，這代表著就算是耐彈性較差的鈦系合金，其實也足以承受住公國軍的120毫米彈※。事實上，極初期吉姆家族機體對上公國軍的MS-06時，就整體戰績來説是略勝一籌的。若是將駕駛員熟練度不足這點納入考量的話，那麼這可説是相當驚人的結果呢。

即使如此，在吉姆系列投入實戰一段時間後，公國軍陣營理所當然也會開始擬定因應對策。開始將原本作為反艦用火器的208毫米火箭砲運用在對MS戰中即是其中一例。不僅如此，MS-07「古夫」和MS-09「德姆」之類陸戰用重MS也配備液體炸藥式大口徑火箭砲，通

■F/FD型主要投入沙漠、荒地較多的非洲戰線。雖然實際上只有右上方照片為RGM-79FD「裝甲強化型吉姆」，但乍看之下很難與RGM-79F「沙漠型吉姆」加以區分。這一點可說是在辨識、觀測這些機型，或是掌握機型編號時會產生混亂的原因之一。

稱「巨型火箭砲」這類武器的規劃，明顯往增強火力的方向發展。隨著這些火力強大的重MS陸續完成部署，聯邦軍MS部隊的交換比（擊墜對被擊墜比率）也不斷地惡化。

在這種狀況下，貝爾法斯特工廠採取了臨時性的措施來對應，但並非更換作為裝甲材質的鈦系合金，而是採納生產重裝甲規格機這個對策。以取自RX-77系列的資料數據為基礎，經由CAD＝CAM系統進行模擬測試後，判斷這種方式確實可行。

然而隨著裝甲增厚，重量也必然會增加。在純粹以RX-78為基礎，而未就驅動系統和推進裝置施加改良就重裝甲化，導致機動性變差，前線官兵給予的評價也相當低。即使可稱為簡易重裝甲規格機，但此規格機體很快便宣告停止生產，如此發展自然也是理所當然。

※吉姆家族的裝甲材質
雖然在賈布羅工廠生產的陸戰用先行量產機[G]型等極少數機體是採用月神鈦合金，不過從正式量產規格的A型和B型等機體開始，就改為採用鈦系合金了。

RGM-79F
陸戰用吉姆

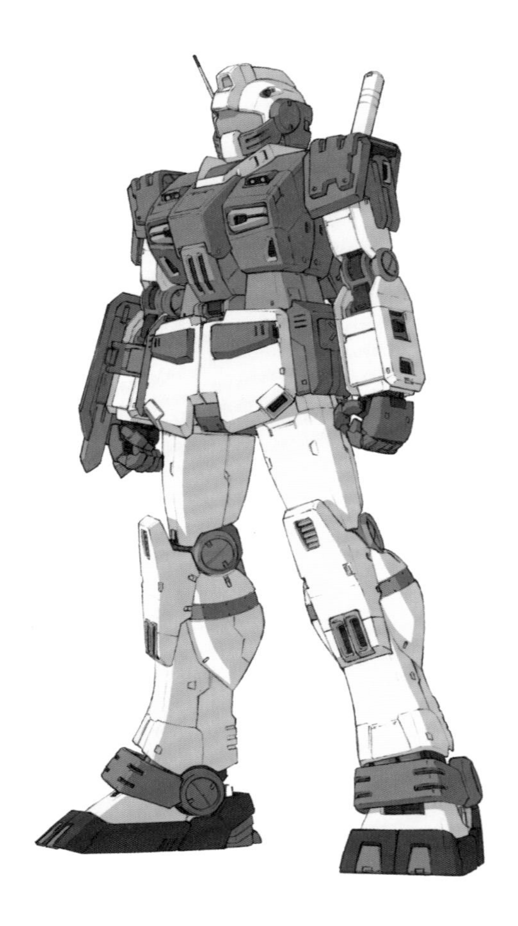

■RGM-79F〈陸戰用吉姆〉
RGM-79F的標準配色。由於是在俄羅斯和歐洲地區的森林地帶運用，因此刻意採用帶有迷彩效果的配色。

雖然受到靈敏機能變差的影響，簡易重裝甲規格機很快便從戰場上淡出。但另一方面，亦有繼承這個形式，且獲得進一步發展的重裝甲規格機誕生。

自部署歐洲戰線的陸軍系MS部隊取得運用資料後，貝爾法斯特技術團隊針對中彈部位進行徹底的分析。結果發現頭部、胸部、肩部等機體上半身的中彈率高得異常。據推測，原因應該出在機體下半身會被樹木或建築物遮擋，但可供遮擋上半身的物體並不多這點上，也就是受到歐洲戰線特有地形的侷限所致。

因此技術團隊著眼於容易遭敵方砲火命中的上半身，選擇為駕駛艙所在處的胸部正面、集中設置感測器的頭部組件，以及肩關節一帶增設裝甲，從而完成了針對定點強化裝甲的機體。

該機體被賦予RGM-79F這組機型編號，除了格外著重於駕駛艙一帶的防彈處理之外，在攜行裝備方面亦經過一番審慎規劃，配備在城鎮或森林地帶也便於靈活使用的小型護盾。不僅如此，為了因應增加重量的問題，於是一併強化推進裝置。隨著配備擁有六具噴嘴的高輸出功率推進背包，機體的總推力也增加了。經過上述改良後，抵禦公國軍機體的120毫米彈自然不在話下，就算是口徑更大的實體彈也能發揮一定效果，使得駕駛員的生還率有了顯著提升。

投入F型一事當然是在「敖得薩作戰」之後，那時公國軍在歐洲的勢力已衰退許多，這點對於提高生還率亦有所影響。畢竟部署於該地的MS-09數量相當少，主力部隊頂多是以火力相對較差的MS-06和MS-07為中心（再加上有許多機體已陷入未能充分整備的狀況）。相較於已陸續汰換機種的非洲戰線等處，投入F型的歐洲戰線可說是由聯邦陣營取得了優勢。

話雖如此，在根據統計資料重點強化裝甲之餘，亦強化了推進背包的主推進器，並為膝蓋一帶設置輔助推進器，避免靈敏性變差，這個概念可說是相當成功。自此之後研發的重裝甲規格機體多半也採用同類型設計，這點足以證明本機型在設計概念上是正確的。

Spec

規格

機型編號：RGM-79F
頭頂高：18.0m
重量：48.2t
全備重量：61.5t
發動機輸出功率：1,250kW
推進器推力：53,800kg
裝甲材質：鈦合金陶瓷複合材質
武裝：專用光束噴槍
光束軍刀
60mm火神砲×2
磁軌加農砲

RGM-79F 陸戰用吉姆

RGM-79F GM LAND COMBAT TYPE

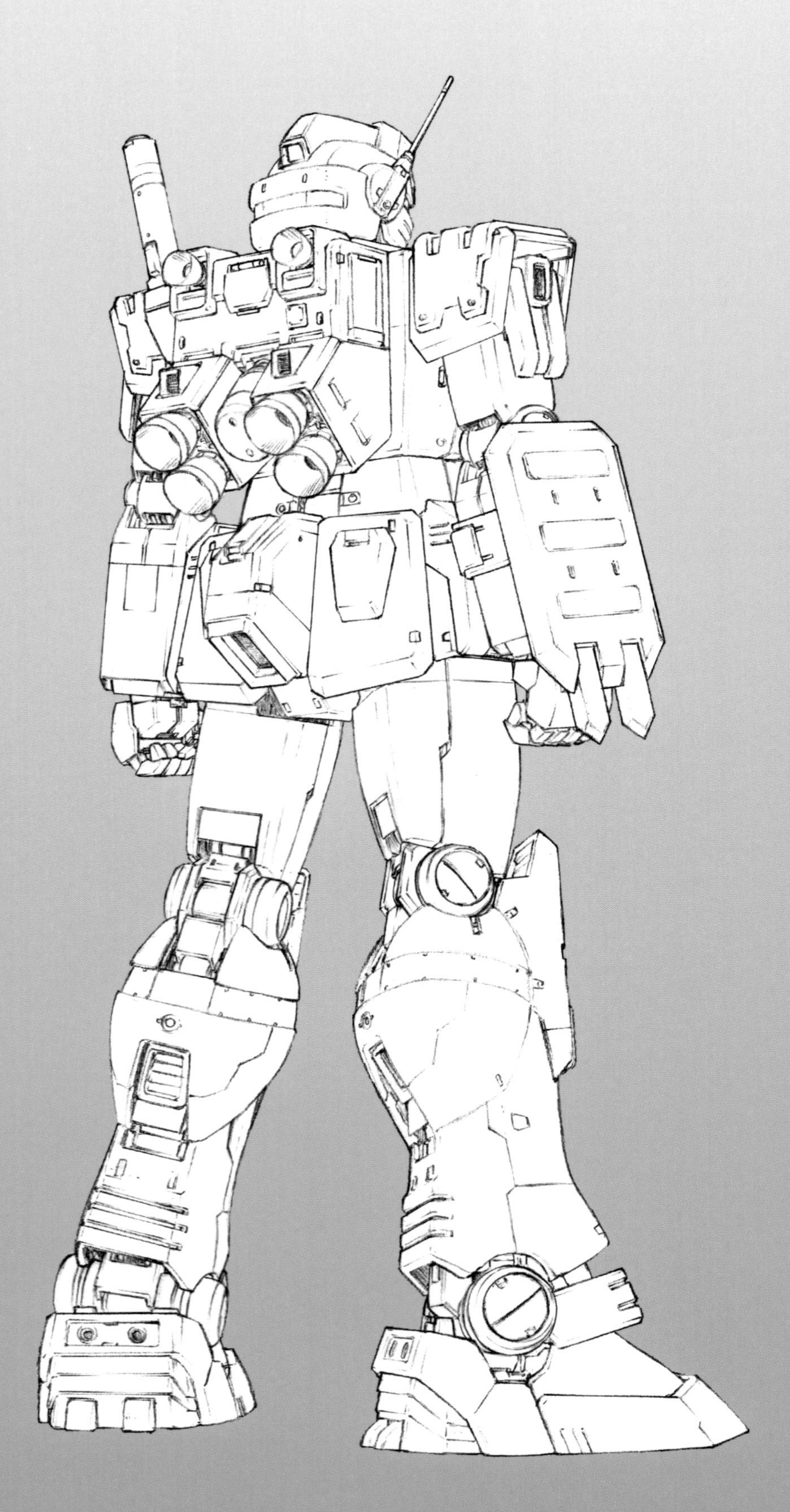

陸戰用吉姆

RGM-79 F GM LAND COMBAT TYPE

■RGM-79F〈陸戰用吉姆〉
#037米登霍爾基地 第2巡邏部隊

歐洲米登霍爾基地為聯邦軍的補給據點之一，部署有由MS組成的防衛兼巡邏部隊。第2巡邏部隊雖然未參與敖得薩作戰的主要任務，在那之後卻也獲得分發6架F型，擔綱警戒任務，而且有著夜間巡邏時擊墜2架多普偵查戰機這等小規模戰果。

RGM-79F的運用實績

如同前述，F型是根據歐洲戰線提出的實戰需求研發而成，第一批機體在貝爾法斯特工廠出廠後，隨即分發給歐洲方面軍。領收到的部隊均為陸軍系MS，亦就此對不斷撤退的公國軍部隊展開追擊。

往俄羅斯方面進軍的部隊可說是格外活躍，在追擊敗退的敵軍時締造諸多戰果。雖然在部署進度上未能趕上基輔攻略戰，不過就這場激戰中折損許多[G]型的前線部隊來說，從米迪亞運輸機裡運出來的F型簡直就是希望之光呢。

後來F型也隨著俄羅斯方面前線部隊官兵在這片嚴寒大地上一路東征，從制壓伏爾加格勒開始，在廣大的俄羅斯森林地帶中掃蕩殘黨時亦十分活躍。以運用鋼培利型運輸機展開閃電進攻而令擊墜數一路飆升的大衛・塔克中尉為首，在造就多位王牌駕駛員一事上可說是有著卓越貢獻。

畢竟，對於上半身採重裝甲化對策的F型來說，在隨處遍布諸多高聳樹林的東歐地區行動，其實等同身處於量身打造的戰場上，即使機體不幸被敵機發射的砲彈擊中，駕駛員的生還率也相當高。在這些「生還者」眼中，愛機就如同保命恩人一樣，理所當然會給予高度的肯定，甚至不乏前線多次發送感謝狀寄至貝爾法斯特工廠技術團隊的佳話。

另外，與本機型實驗性地配備的磁軌加農砲，亦普遍得到肯定。在隨著冬季逐漸降臨而變得更加嚴寒的氣候下，光束噴槍發生運作不良的狀況也不少見，這時該武器就成了寶貴的替代火力來源。這種磁軌加農砲原本是設計為中長程用支援火器，本身是以舊世紀海上船艦用艦載砲為基礎，重新設計為MS用攜行武裝，也就是「過時技術」的產物。因此即使威力不及光束兵器，作為兵器的可靠度卻相當出色，展現了良好的運作率。話雖如此，隨著火力更加優秀的光束兵器在技術方面日益成熟，這類兵器也逐漸淡出了戰場。

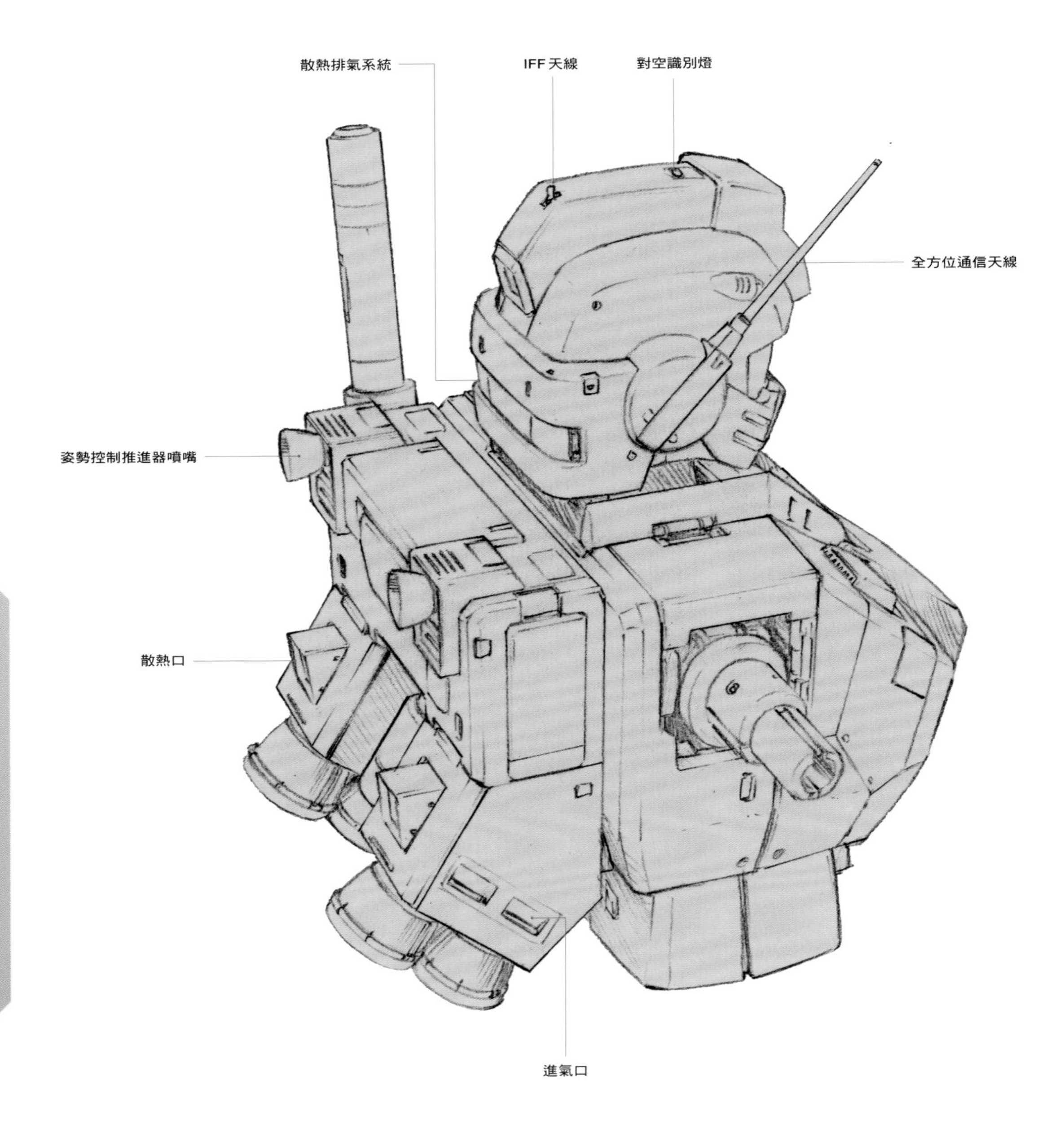

RGM-79F的生產

此機型的基本概念乃是為了有效對應戰域所在處的獨特地形，以及戰況的變化，因此根據前線需求，往局地戰用機的方向施加修改。在歐洲戰線是以當時的主力機RGM-79B為基礎，主要針對裝甲外殼，尤其是著重於上半身的設計變更，藉以生產在性能上能夠滿足需求的機體。在狀況許可的範圍內，同時力求引進預定使用於次期主力機上的各種驅動系統和控制機器，造就了複合化的修改機，也是唯有具備大規模生產設備的貝爾法斯特工廠才能製造出這種適用於當地的改造機。以上半身為主強化裝甲的對應方法正好契合歐洲戰況的需求，使這個機型獲得了在前線改造機之上的評價，因此被視為陸軍地面戰用機RGM-79[G]的後繼機型，亦被賦予RGM-79F這組機型編號。

■RGM-79F〈陸戰用吉姆〉
#029歐洲方面軍第2大隊
第03MS小隊

到了U.C.0079年11月下旬，也就是敖得薩作戰結束之後，歐洲方面公國軍勢力的掌控力已急速衰退，但仍有少數公國軍部隊殘存並占據城鎮，聯邦軍於是動用MS部隊執行奪回與制壓的任務。第03MS小隊是由4架RGM-79編組而成，亦考量城鎮戰而施加所需配色。該小隊曾參與3處地方都市的制壓行動，不過後來有2架機體陷入癱瘓，戰爭也剛好在這個時間點宣告結束。

頭部組件

頭部主體搭載的感測機器和通信用機材，在本質上與RGM-79B沒什麼差異。雖然隨著生產持續進行，亦調度了針對地球圈環境、使用已最佳化的各式D型搭載用感測機器施加翻新改裝，不過基本內容和A／B型所使用的沒有顯著差異。但感測機材的設置方式倒是略有更動，例如透明護罩背面的光學鏡頭攝影機便是設置在比原有版本更低的地方（與D型相似）。

地面戰裝備在外觀上的顯著差異，就屬將通信用桿形天線列為標準裝備，設置在「耳部裝甲」上。眾所周知，在米諾夫斯基粒子散布環境下進行通信會遭到干擾，不過當在地球上散布米諾夫斯基粒子時，濃度並不會像在太空中分布得那麼均勻。這是因為粒子會顯著受到大氣流動、氣溶膠、大氣離子，以及天候變化（雷雨或風暴）所造成的等離子等狀況所左右，難以在一定期間內維持穩定的濃度。因此就算散布米諾夫斯基粒子，也還是有可能出現能照樣用電磁波通信的地域，而且地點時時刻刻變遷。基於這方面的考量，決定除了按照既有機體標準搭載高指向性的近距離雙向通信機材之外，亦進一步追加通用性更高的遠距離通信用機材。不僅是MS之間，若是要能有效地與地面軍、空軍、前線基地進行通信，與其透過臉部的透明護罩收送訊息，不如改設置高性能天線會來得更具效益。結果也就決定為F型的頭部引進桿形天線了。

想要在不減少頭部內機材搭載空間的條件下增厚主體外殼裝甲，在物理手段上有些困難；再加上決定追加收納高輸出功率無級調頻送收訊、專用發動機、通信暗號化系統等套裝機材，因此便朝著擴充頭部內空間這個目的打算重新設計外形，最終採用了沿用B型頭部施加最小幅度修改的方案，也就是將頭部後側裝甲更換為外形明顯隆起的版本。但考量到一旦使外殼裝甲往外增厚，那麼生產設備也都得全面進行適度的修改才行，於是決定為既有頭部外殼裝甲採以無縫外擴的方式設置增裝裝

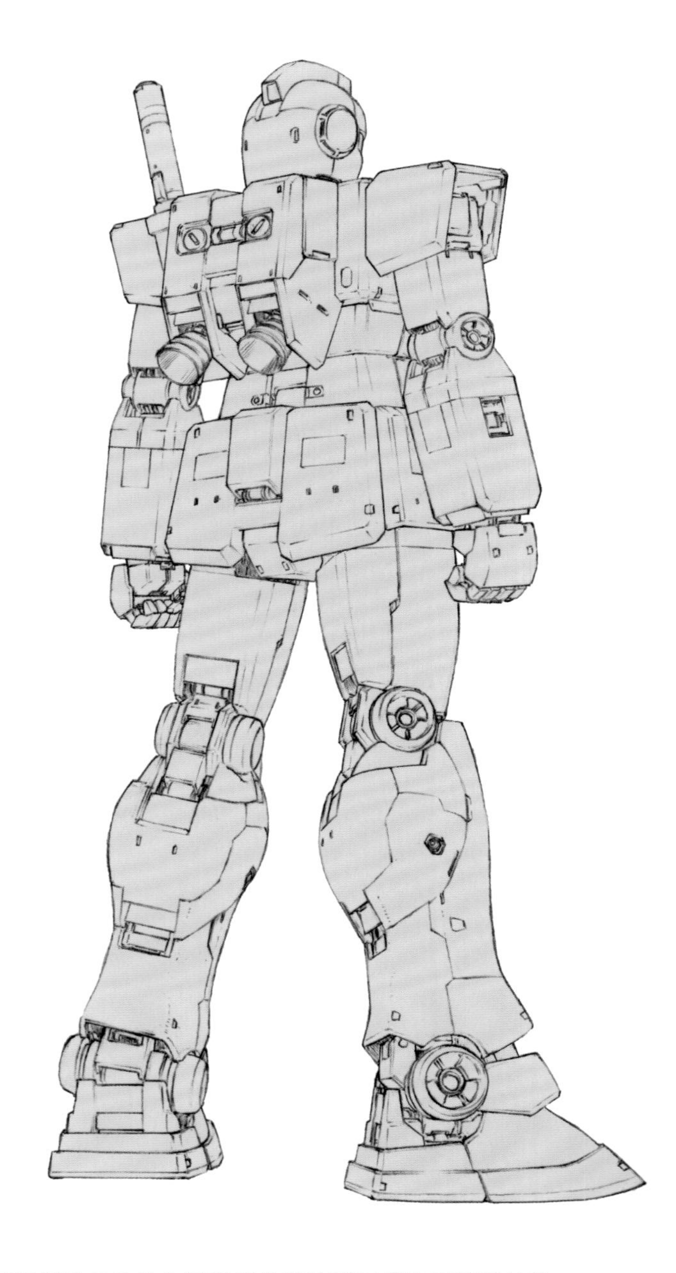

甲，藉此達到增厚的效果。雖然厚度平均增加了10公釐，不過從外觀上其實難採以分辨；再加上這並非全領域通用MS，而是要修改成地面戰專用的機體，太空用裝備顯然是多餘的，因此頭部搭載火神砲也就完全撤除了排熱＆蓄熱的相關機材，改為設置以空氣為媒介的熱交換器，更在頭部與頸部之間裝設有多排風葉並列的強制吸氣裝置，以便發揮吸氣機能。不僅如此，為了讓熱交換系統能更有效地運作，甚至還搭載了可供冷卻吸入外氣的中間冷卻裝置（就構造上來說，與空調設備為同等的機材），提高電子器材和火神砲的冷卻效率。

就結果來看，擴充設備必然會增加重量，僅能勉強控制在頭部支撐構造的容許範圍內，因此也就只好放棄原先打算增加火神砲裝彈數的想法了。不過亦有例子指出某些機體並未裝設中間冷卻裝置，而是將這部分的重量用於增加裝彈數。但是這種做法僅限於大氣溫度確定能對頭部發揮足夠冷卻效果的寒帶用機上。

由於聯邦軍當時才剛開始奪回大氣層內的區域制空權不久，因而派遣米迪亞運輸機改造的特殊任務航空機，在戰鬥空域周邊執行通信轉播任務，這點顯然進一步證明裝設桿形天線的效益。

臉部的透明護罩本身是各種感測、通信裝置的電磁波穿透性裝甲，雖然也曾打算增加厚度以提高防禦效果，不過為了使這種透明裝甲對可視光的折射率能夠無限趨近於零，原本在製程上就已經巧妙地控制曲率和厚度，胡亂增厚只會產生難以收拾的影響。況且就算可經由電腦輕鬆變更設計，生產線也得大幅更改相關設備才行，因此最後打消將這部分增厚的想法。

位於頭部正面，也就是臉部下側相當於「嘴部」處也設有增裝裝甲。這部分是在既有裝甲上設置厚15公釐的裝甲組件，提高保護內部精密機器的效果。另外，頰部也有獨立設置的增裝裝甲，構成銜接「耳部裝甲」與「嘴部裝甲」的橋形構造，特徵為單側設有兩道凹槽。這兩道凹槽並非補強用衝壓結構，而是排氣口，在機能方面可供排出頭部內循環冷卻空氣的開口之一（頭部後側隆起結構上的凹槽也具備相同機能）。溝槽底面設有無數的細長橢圓形孔洞，可供氣體透過兼具裝甲機能的頰部零件排出機外。另外，「耳部裝甲」原本根據全領域通用MS的需求設置散熱溝槽，不過既然排氣系統徹底更新，這部分也就沒有存在必要，改以簡潔的錐台形裝甲覆蓋。不過為了將火神砲的發射煙和冷卻排氣往排氣口方向排出，該處內部仍設有多翼式送風機。

頭頂部用來收納主攝影機的整流罩同樣也打算將外殼稍微增厚，但考量到正面攝影機處整流罩的中彈率特別高，於是改以套在整流罩上的方式設置了增裝裝甲。由於保護主攝影機用的透明護罩本身較為平坦，因此該處僅是純粹增厚。該裝甲一路往臉部延伸，直到覆蓋住臉部透明護罩的頂端；不僅如此，正面下緣和主攝影機用透明護罩的基座處也設置了排氣口。之所以特地在這兩處設置排氣口，理由在於寒帶氣候容易使透明護罩表面結露而凍結，而無論是結霜或冰雪附著都會造成故障，必須視情況所需，讓暖氣經由該排氣口排出，以便作為表層冰霜的除冰裝置使用。當時正在規劃為寒帶用MS引進這種裝備，因此便以實際運用驗證試驗裝備的形式，安排「陸戰用吉姆」先行搭載。

Spec

規格

型號：RGM-79
全高：18.5m
頭頂高：18.0m
重量：41.2t
全備重量：58.8t
發動機輸出功率：1,250kW
推進器推力：55,500kg
裝甲材質：鈦系合金
武裝：60mm火神砲
光束軍刀×1～2
光束噴槍
光束步槍
護盾
超絕火箭砲

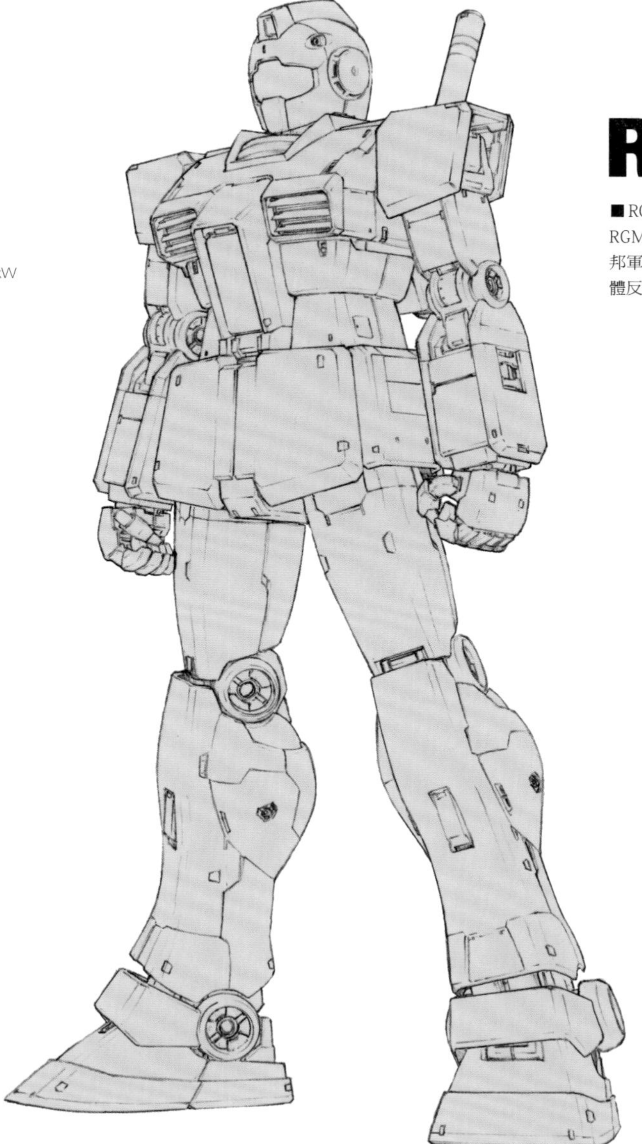

RGM-79吉姆

RGM-79 GM

■RGM-79〈吉姆〉
RGM-79「吉姆」乃是所有F型系列機體的基礎，同時也是聯邦軍在一年戰爭末期展開反攻作戰時的骨幹。圖中為A型具體反映RX-78-2「鋼彈」運用數據等資料升級而成的B型。

胸部組件

經由分析各部位中彈率，針對容易中彈處重點性地設置增裝裝甲的做法，在這種「陸戰用吉姆」上獲得了相當出色的成果。對於無從期待整個提高機體輸出功率的狀況來說，這可說是最佳的處理方式。隨著重量增加，對於各驅動部位，尤其腿部的負荷也增加許多，進而抵銷B型原有的機動性；不過在歐洲作戰時，實際上重視防禦性能更勝於機動性。由於設置增裝裝甲後也使得重心大幅往上移，因此機體的操作程式，特別是與平衡穩定相關的部分均也同時進行大幅度更新。

起初提案設置增裝裝甲時，原則上是採用套在B型原有裝甲表面加以覆蓋住的形式，不過局部是改為將裝甲材料（鈦合金陶瓷複合材質）熔融後直接噴塗在裝甲之上，藉此增加裝甲的厚度。

這種覆蓋式裝甲最為醒目之處就在於胸部和駕駛艙蓋。由於該處是最容易遭到攻擊的部位之一，自然格外花工夫施加強化。尤其加強保護駕駛艙區塊和核融合爐主機一帶更是重點所在，腹部裝甲原本為了騰出前俯後仰和左右擺動的空間，而設計成上下兩截式構造，上側裝甲也就採用與胸部處連為一體的形式設置增裝裝甲，胸部左右兩側排氣口亦用全新設計的風葉狀裝甲覆蓋。胸部排氣口在太空中可另外發揮姿勢控制和制動用裝置的機能，在地面上進行高機動時，同樣能作為姿勢控制輔助裝置使用。不過既然無須考慮重量增加導致機動性變差的問題，胸部排氣口也就以發揮排氣＆散熱的機能為優先，改為設置開口部位較小的風葉狀裝甲。

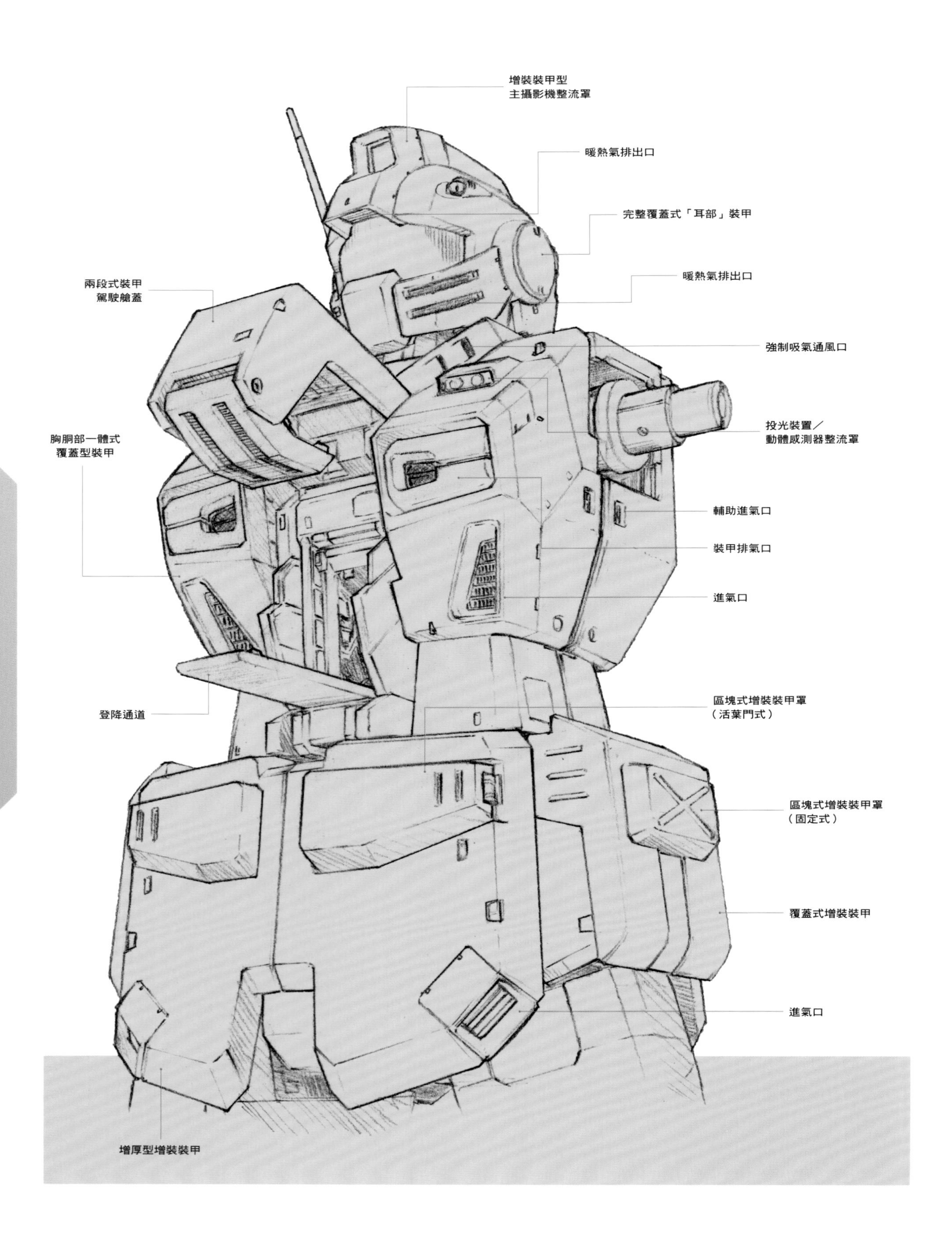
增裝裝甲型
主攝影機整流罩
暖熱氣排出口
完整覆蓋式「耳部」裝甲
兩段式裝甲
駕駛艙蓋
暖熱氣排出口
強制吸氣通風口
投光裝置／
動體感測器整流罩
胸胴部一體式
覆蓋型裝甲
輔助進氣口
裝甲排氣口
進氣口
登降通道
區塊式增裝裝甲罩
（活葉門式）
區塊式增裝裝甲罩
（固定式）
覆蓋式增裝裝甲
進氣口
增厚型增裝裝甲

B型在地面上運用時，原本能利用胸部和腹部之間的空隙發揮吸氣機能，不過該處已完全被裝甲覆蓋，因此便在胸部散口下方、駕駛艙蓋（護甲）、相當於腋下處都設置了開口，以便裝設進氣口機構。增裝裝甲內還設置導管，利用裝在胸部裡的風扇強制吸取外部空氣，並傳導至熱交換裝置。

保護頸部的「襟領」裝甲亦更改形狀，增加厚度。在自然吸氣用的進氣口中，設置於前側者是供駕駛艙換氣用。頸部基座原有的三片式裝甲則是換成單片式，該處的裝甲也一併增厚。

駕駛艙蓋的裝甲換成全新設計的版本，駕駛艙門也參考RGM-79[G]的設計，從單片式修改為上下兩段式的裝甲艙蓋。腹部裝甲處設有可罩住上下艙門側面的覆蓋式增裝裝甲，用意在於提高駕駛員搭乘時的安全性；此外，當機體往前傾倒時，亦能夠騰出可供下側艙門從合葉機構處分離，進而強制排除的空間（但機體陷進地面裡的狀況並不在設想範圍內）。

附帶一提，作為選配式陸戰裝備，胸部排氣口上方設有投光裝置和紅外線式動體感測器。雖然設置這些裝備必要與否有著正反兩面意見，不過隨著敵方士兵憑藉肉身對MS發動攻擊的情況逐漸增加，前線運用人員倒是樂見搭載這類裝置。

腰部區塊

為了保護大腿頂部的股關節區塊，腰部正面設有兩片吊掛式活葉裝甲，這部分也大幅增加裝甲厚度。該處在構造上當然並非純粹的單片裝甲，而是屬於箱形構造。表面的裝甲外殼平均增厚15公釐，與底板之間留有一道空間。由於設想到腿部驅動機構可能會承受過大的負荷，因此箱形裝甲內部搭載該處冷卻用的熱交換機材，從底板頂端開口處設置的進氣口吸入空氣後，部分會藉由氣流方式吹向驅動機構，不過絕大部分是作為冷卻液的熱交換使用；至於熱氣則會從外側下緣邊角的排氣口排出。中央區塊裝甲之所以維持B型原樣，顯然是基於覆蓋正面裝甲處已充分增厚，因此才會判斷沒有特地將這部分也一併增厚的必要性。

各活葉裝甲均內藏有選配式裝備用的轉接掛架，不過打從之前就有報告指出，這類掛架用開口處的裝甲艙門在中彈時會發生扭曲變形等問題。照常理來說，裝甲應該盡可能避免設置開口之類的構造，不過就現實狀況來看，勢必得以機體靈活運用為優先，因此打從一開始就不可能將廢除這類機構列入考量，於是便增設了能夠完全覆蓋各掛架部位的箱形裝甲罩。這些裝甲罩都是以預留空隙的方式疊合設置多層薄裝甲板，再整個嵌組在箱形外裝部位上，藉此形成間隙裝甲構造，以便充分保護內部的掛架機構。

腰部修改幅度最大之處，就在於為後側中央區塊增設輔助推進器。配合前述更動，後側活葉裝甲也修改為和RX-78系相同的左右獨立構造。該推進器的方形噴嘴設有偏轉板，以輔助移動裝置來說能發揮十足效果，不過該處的燃料搭載量較少，難以長時間持續使用。

推進背包

此機型用推進背包是以全新規格進行設計、生產。由於不像太空機型，得作為主要移動手段所需的航行用主機，因此是針對戰鬥行動時必要的瞬間爆發力機能重新設計。朝下45度設置的主噴嘴共設有四具（各為兩具縱列式），作為固定裝備；推進背包外殼上也設有可供冷卻噴嘴的熱交換器用吸排氣口（側面是吸氣用，噴嘴上方的是排氣用）。推進背包頂部設有小型噴嘴是特徵所在，這是為了讓機體在空中時，能夠以中央為轉軸，使機體進行迴旋運動才設置，還可經由自動控制確保左右兩側噴嘴不會同時噴射。這是因為在運用實驗之際，曾有駕駛員在手動控制下失誤，導致左右兩側輔助噴嘴同時噴射，發生頭部朝著地面墜落的事故，最終才會如此設置。

設置在左右主噴嘴之間的圓筒形裝備為備用燃料槽收納艙，由於裝備整個暴露在外，因此視戰域而定，亦有機體為設置該裝備。

掛載光束軍刀時，採用了不太會發生脱落事故的刀鞘式構造，並以左側設置一具為標準架構。和其他型號推進背包一樣，右側也留有可設置同類型裝備的構造，該處平時則是用裝甲罩覆蓋。

臂部／機械手

這部分基本上直接使用B型的機材，肩甲處則是設置特殊形狀的增裝裝甲。之所以設計成這種獨特的形狀，目的在於掛載固定式增裝武器或小型護盾。不過前線給予的評價並沒有設計者想像得那麼高，似乎也幾乎沒有在該處設置護盾或武裝的實例可言。倒是有提出當砲火擊中該裝甲缺口部位的邊角時，造成詭異角度跳彈情況的報告，因此經由前線改造，為該處增設平坦裝甲的例

CAUTION/MODEX : RGM-79F

RGM-79F警示標誌／識別編號

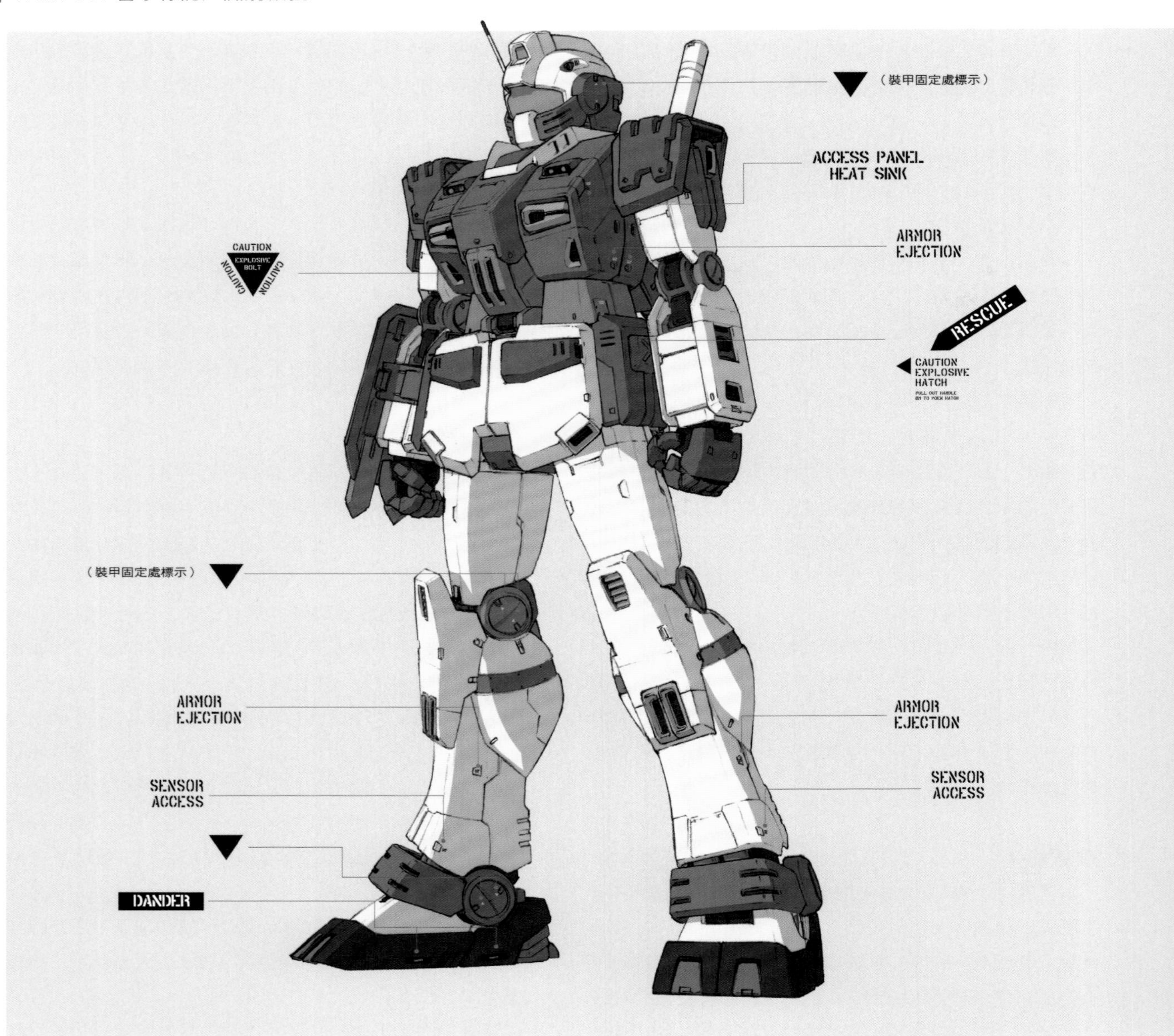

子並不少見。

肩甲側面開口處還追加垂掛式裝甲，中央則增設方形推進器。該增裝推進器設置目的同樣是為了在空中控制姿勢，但不需要使用燃料，而是利用設置在肩部基座處空隙的進氣口吸入空氣後，經由高效能空壓機噴出壓縮空氣產生作用力。在前臂末端亦設有同類型的空中姿勢控制用空壓推進器，這部分設有閘門狀的偏轉板，得以隨著揮舞臂部和偏轉板的角度，進行微幅姿勢控制。

腿部組件

這部分的主體和B型一樣，小腿以下則是設有覆蓋式裝甲。膝關節部位特別為了因應來自前下方的攻擊（比起提防MS，其實更著重於防備步兵使用火器從地面攻擊），而設置足以覆蓋該處的大型裝甲，小腿肚處也以不影響到可動性為極限，覆蓋了厚重的增裝裝甲。有鑑於腿部原本就得承受較大的負荷，B型在設計上已連同整備時的便利性都納入考量，不過歐洲方面根據戰況，判斷耐彈性能比整備、維修的便利性更為重要，於是修改為利用覆蓋式裝甲整個遮掩住驅動機構一帶的規格。不過這並非純粹的增裝裝甲，為了在使用推進背包處推進器時能進行更高層次的空中姿勢控制，因此和臂部一樣採用內藏空壓推進器的構造。

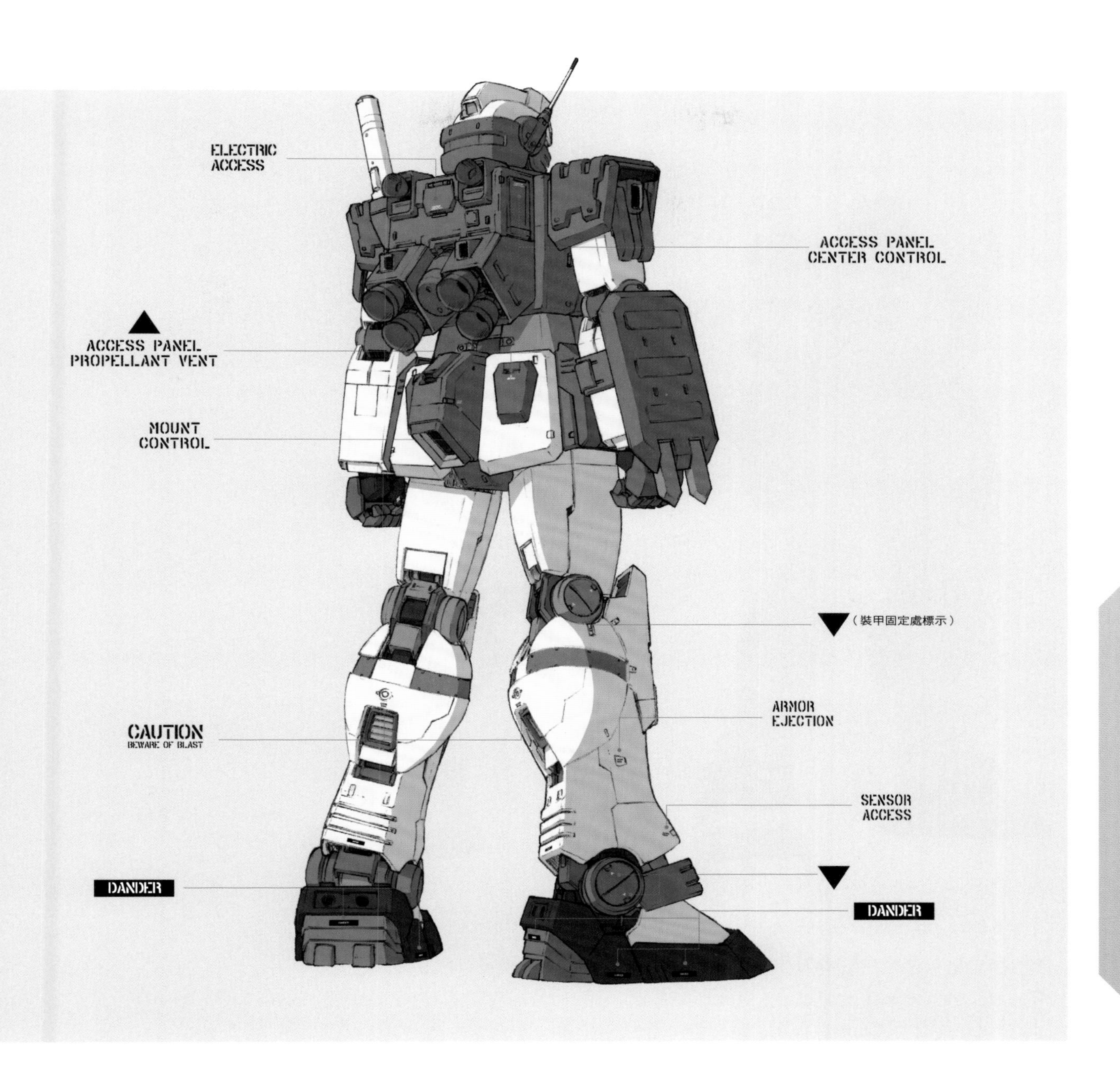

作為對吉翁防諜戰略的一環，在膝部護甲上側設置進氣口，並且在小腿肚處設置壓縮空氣排出口的構造，被稱為「氣墊裝備」。從這點也能推敲出在吉翁公國軍投入陸戰用機種MS-09「德姆」的當下，聯邦軍究竟受到多大的震撼。不過嚴格來説，RGM-79並不具備氣墊機能，基本上都是利用火箭引擎的推力來發揮跳躍機能，這也是用不著再贅言敘述的事實。

腳踝以下並非設置覆蓋式裝甲，而是整個重新設計外殼的構造，即使多少會影響到可動範圍，卻也還是基於減輕觸地壓力以及緩和著地衝擊力這兩大目的，擴大靴子部位的面積，同時也強化腳跟部位的緩衝機構，並且將「靴子」前半部位增厚。另外，腳跟部位的外殼裝甲更設計成朝上方彎曲，盡可能遮擋腳踝背面的形狀。腳踝下方則是利用三層式蛇腹構造裝甲覆蓋腳跟，此構造內藏有增設的緩衝裝置，使得機體在腳跟觸地時也能夠維持穩定。

腳跟裝甲還內藏位置標示燈，以便供共同行動的地面軍車輛辨識。該裝備是在前線部隊的強烈要求下採用，畢竟地面部隊經常得和MS部隊合作行動，可是在黃昏和夜間行軍時，屢屢發生友軍車輛跟在MS後方卻衝撞到腳部的意外，因此才會希望將警示燈、防撞燈列入標準裝備，以作為解決方案。

RGM-79F/FD
沙漠型吉姆／裝甲強化型吉姆

■RGM-79F「沙漠型吉姆」的標準配色。這是一種設想到可在非洲戰線等沙漠地帶發揮迷彩效果的配色。

賈布羅工廠有鑑於F型顯著成效而進一步研發的機型，正是現今以RGM-79F「沙漠型吉姆」這個名稱為人所知（有關機體在機型編號方面的混淆情況，將留待後續説明）。這個機型在以貝爾法斯特工廠製F型「陸戰用吉姆」的設計為基礎之餘，亦追加了可供RGM-79A型或B型使用的反應裝甲。和「陸戰用吉姆」一樣是以獲得更高的耐彈性為目標。

本機型從研發之初就打算投入非洲戰線。由於該地戰域絕大部分是缺乏遮蔽物的沙漠地帶，因此有別於為上半身集中設置增裝裝甲的F型，就連下半身也都增設反應裝甲。話雖如此，卻也並非用裝甲整個覆蓋住全身上下，而是採取保護膝蓋和腳踝等關節部位的形式增設裝甲。

這類裝甲強化措施必然會增加機體重量，因此亦為腿部增設新型輔助推進器，力求確保機動性。該輔助推進裝置屬於對抗MS-09「德姆」用的裝備，據説全力運作時可發揮氣墊行進的機能。不過當初急於投入實戰，在性能面上確實也有妥協之處，例如該輔助推進裝置的燃料消耗量極大，可持續氣墊行進的時間其實相當短。

此外，若要搭載該輔助推進裝置，腿部組件骨架也得換成特殊形狀版本才行，導致難以為既有機體增設。因此最終能裝設這種輔助推進裝置的，其實僅限於賈布羅

Spec

規格

機型編號：RGM-79F
頭頂高：18.0m
重量：44.7t
全備重量：59.5t
發動機輸出功率：1,250kW
推進器推力：57,800kg
裝甲材質：鈦合金陶瓷複合材質
武裝：專用光束噴槍
光束軍刀
附設8連裝飛彈莢艙式磁軌加農砲
超絕火箭砲

RGM-79F沙漠型吉姆

RGM-79F DESERT GM

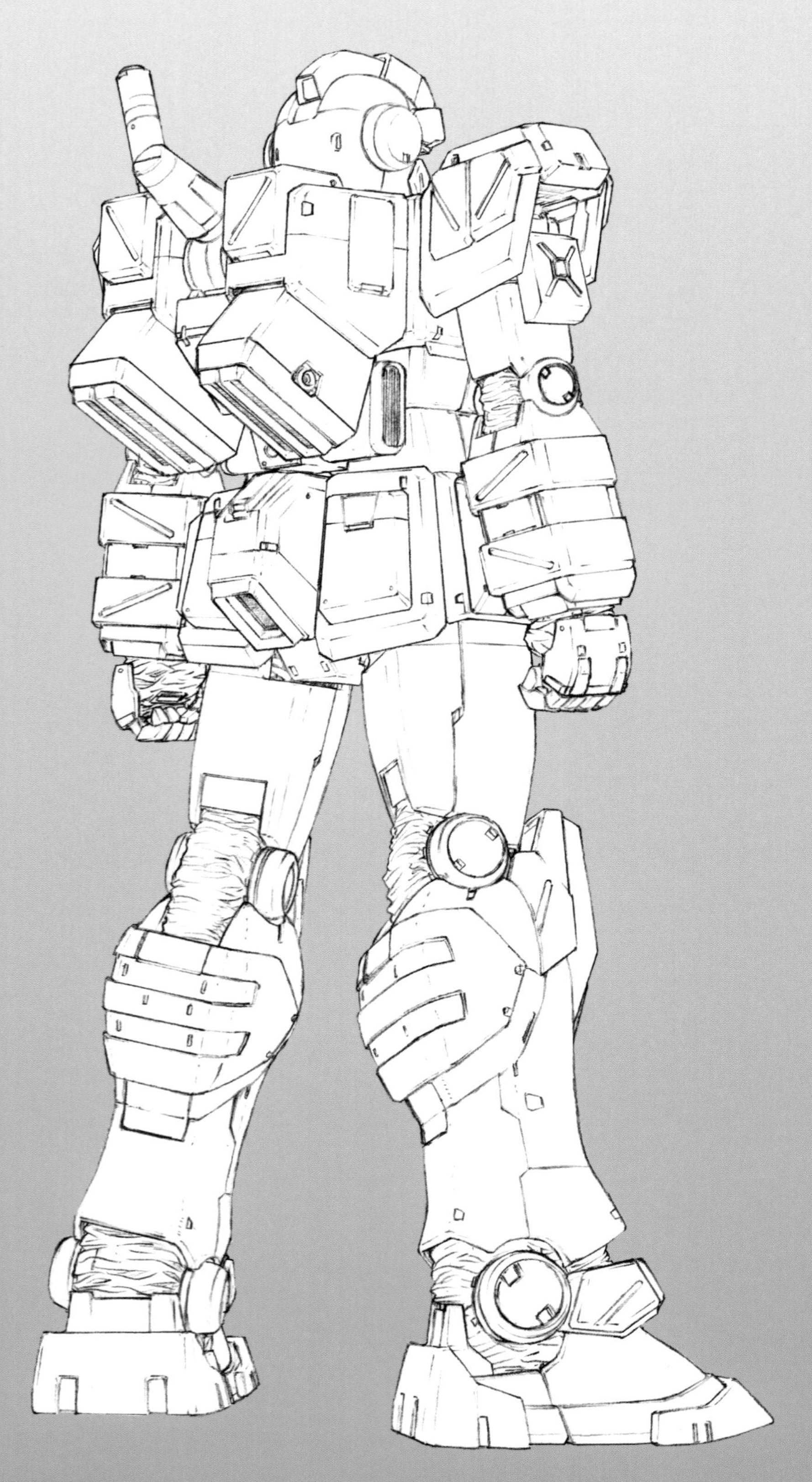

RGM-79F 沙漠型吉姆

RGM-79F DESERT GM

■RGM-79F「沙漠型吉姆」部署於沙漠以外地域時所採用的配色。雖然規格上與「沙漠型吉姆」幾乎完全相同，不過這類機體起初是被稱為「裝甲強化型吉姆」。

工廠生產線全新製造的機體而已。

另一方面，生產線亦陸續製造可供既有機體增設這些裝備的「修改套件」，並分發給非洲和中東地域的前線部隊。這部分主要是由增裝反應裝甲、關節部位用防塵保護套，以及增加觸地面積以提高穩定性的增裝靴子等零組件所構成，但並不包含新型輔助推進裝置在內。因此只要根據腿部有無增設輔助推進裝置這點，即可區分出這是賈布羅工廠全新製造的機體，還是使用修改套件的機體。

這類「修改套件」本身也有許多類型，但大致上可分為賈布羅工廠製、貝爾法斯特工廠製，以及奧古斯塔工廠製這幾個系統。原則上，凡是以A／B型為基礎的機體均可適用，只要向部署這類機體的單位申請，就會分發給前線的整備部隊或是基幹基地。不過這類前線修改套件本身便是很大的裝備，因此亦有先由個別工廠全部組裝到機體上後，再整個運給部隊的例子存在。

由於個別工廠在設計上都是以F型「陸戰用吉姆」為基礎，因此研發之初的機型編號也就直接沿用RGM-79F或RGM-79[GRS]。不過也有部分資料，卻是記載為原本屬於「吉姆狙擊型Ⅱ」的編號RGM-79SP，原因就在於有一部分研發預算是自同時期研發的SP型的名目下調度而來。

另外，就奧古斯塔工廠製造的「修改套件」來說，其實也包含了該工廠研發的D型

■RGM-79FD「裝甲強化型吉姆」的標準配色。和「沙漠型吉姆」一樣部署於非洲戰線等地。

用零件。雖然在外觀上與其他F型十分相似，但推進背包的推進器等部位仍有差異，嚴格來說更該歸類為其他型號才對。因此另外賦予該機型RGM-79FD這組機型編號。

總括來說，F型系列整體可以定義為A／B型的修改型（衍生型）。其中貝爾法斯特工廠著重於俄羅斯戰線，賈布羅工廠針對非洲戰線設計者可歸類為F型，至於奧古斯塔工廠製造的則是FD型。在名稱方面，相對於貝爾法斯特工廠製F型幾乎都是專指「陸戰用吉姆」，其他的就較為混亂。原因在於雖然因應主要運用區域是非洲戰線而命名「沙漠型吉姆」，不過同類型修改機或全新生產機體亦有部署區域稱不上是沙漠的例子，因此這類機體也就改稱「裝甲強化型吉姆」。照理來說，採用FD型是專指「裝甲強化型吉姆」的定義會比較妥當，但有不少資料中也會用這個名字來稱呼FD型以外的F型。附帶一提，這些稱呼並不是用來區分工廠全新製造機體和前線修改的機體，這點還請各位特別留意。

為了避免混淆，本書的RGM-79F是專指「沙漠型吉姆」，基於便宜起見將RGM-79FD統稱「裝甲強化型吉姆」，不過各位讀者只要抱持兩者在本質上都是「A／B型的裝甲強化修改機」這個觀點來閱覽就好。

Spec

規格

機型編號：RGM-79FD
頭頂高：18.0m
重量：41.2t
全備重量：59.5t
發動機輸出功率：1,250kW
推進器推力：59,800kg
裝甲材質：鈦合金陶瓷複合材質
武裝：光束槍
　　　90㎜機關槍
　　　光束軍刀
　　　超絕火箭砲
　　　大型護盾
　　　中型護盾
　　　小型護盾

RGM-79FD 裝甲強化型吉姆

RGM-79FD ARMORED GM

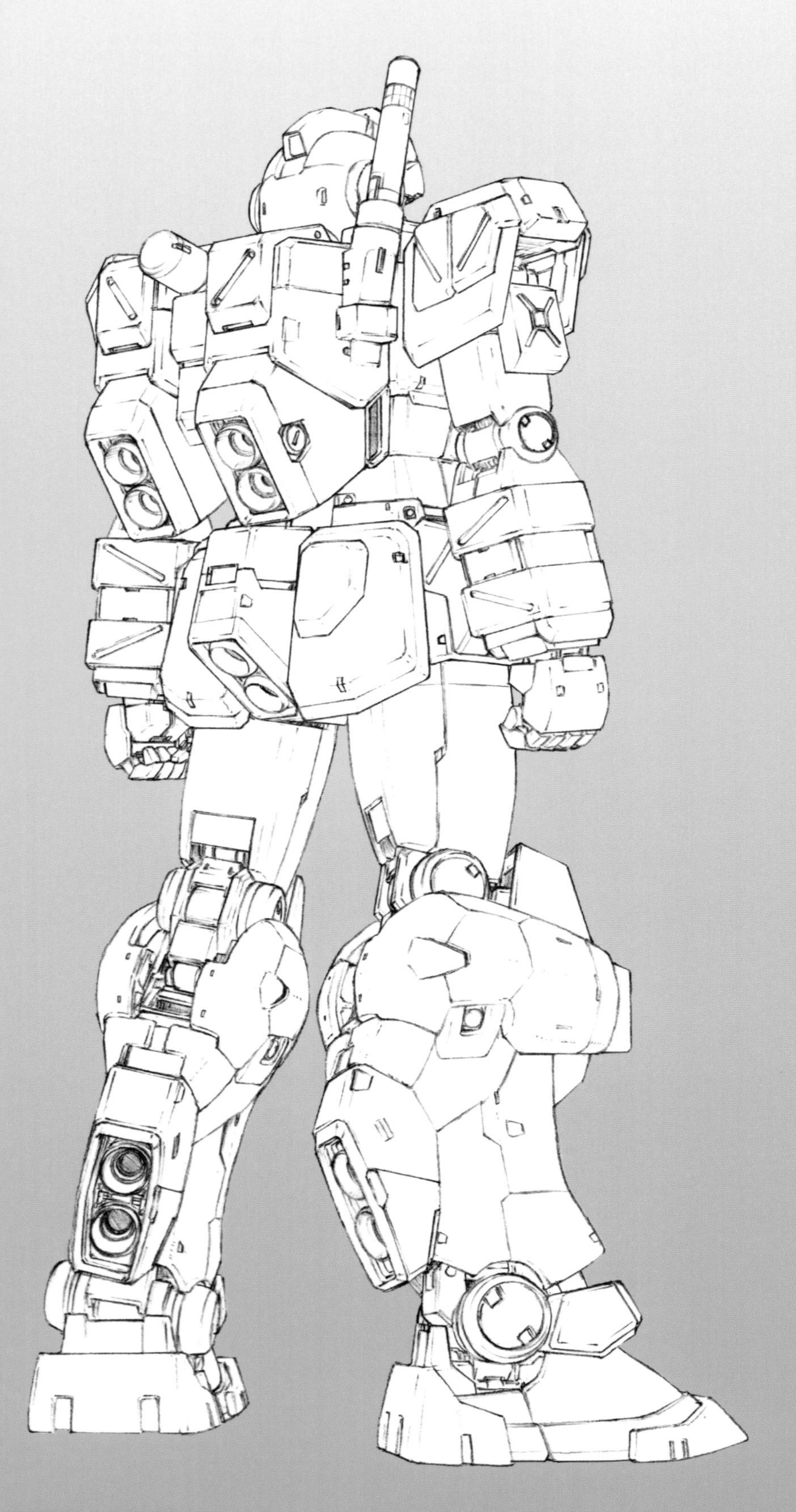

RGM-79FD 裝甲強化型吉姆

RGM-79FD ARMORED GM

■RGM-79FD「裝甲強化型吉姆」部署於沙漠以外地域時，所採用的機體配色。

RGM-79F/FD的運用實績

如同研發之初所設想，本機型主要部署在非洲戰線。尤其是針對既有機體進行調整，作為增裝用的「修改套件」，幾乎全數都分發給非洲北部和中東地域。

這類「修改套件」格外受到前線部隊的眾整備兵所肯定。理由在於敖得薩作戰之後，有許多MS部隊從歐洲轉戰至該地，卻受到乾燥地帶特有的沙塵所苦，導致運作率大幅度變差。雖然確實也有前線修改為關節部位施加防塵處理的例子，但這方面終究不夠完善，不過「改裝套件」內含經過精心設計的保護套裝備，因此需求量也就跟著水漲船高了。

另外，雖然公國軍當時已陸續在非洲部署以MS-09G「德瓦基」為首的新銳機種，卻也幾乎沒有配置任何光束兵器搭載機，這也使得賈布羅工廠製F型和奧古斯塔工廠製FD型配備的反應裝甲占據一大優勢。因此即使眾駕駛員起初對於其厚重外觀抱持質疑，後來也陸續感受到F／FD型所具備的優勢。儘管被擊中，F／FD型也依舊能持續進行戰鬥，對於公國軍的老練駕駛員們來說，確實沒有比這類機體更難纏的對手了。

相對於運用單位給予的高度肯定，在設法增加部署數量時卻遇上了瓶頸。這是因為在有著「沙漠之隆美爾」稱號的公國軍智將狄瑟特．隆美爾巧妙的策略下，甫從賈布羅工廠送來的「修改套件」才暫存入庫保管，該地就隨即遭到炸毀。此事導致部署計畫的進度整個被打亂，只好放棄原本以部隊為單位整批汰換機體的想法，不得不改用分散派發給各個部隊的方式來處理。

這個轉折也導致F／FD型在轉眼間成了為數稀少的機體，領取到這類機型的部隊於是也改變運用方式，以發揮其高度耐彈性作為「前衛」，既有機體則是擔綱「後衛」提供支援，藉此彌補數量嚴重不足的問題。話雖如此，在無從確保一定數量的情況下，對戰域整體造成的影響其實並不算大，這也是現今的主流看法。

正如先前所述，F／FD型本身獲得的評價相當高，這點倒是無庸置疑，事實上亦留有非洲以外部隊紛紛申請這類機型的紀錄。因此由賈布羅工廠製造的全新機體也就以「裝甲強化型吉姆」為名，自U.C.0079年11月下旬至12月起開始提供其他戰域。例如在北美戰線，隸屬情報部的安德烈．馬洛里中校麾下的特種部隊，就領收FD型，而且還運用於救援重要人士的行動當中。

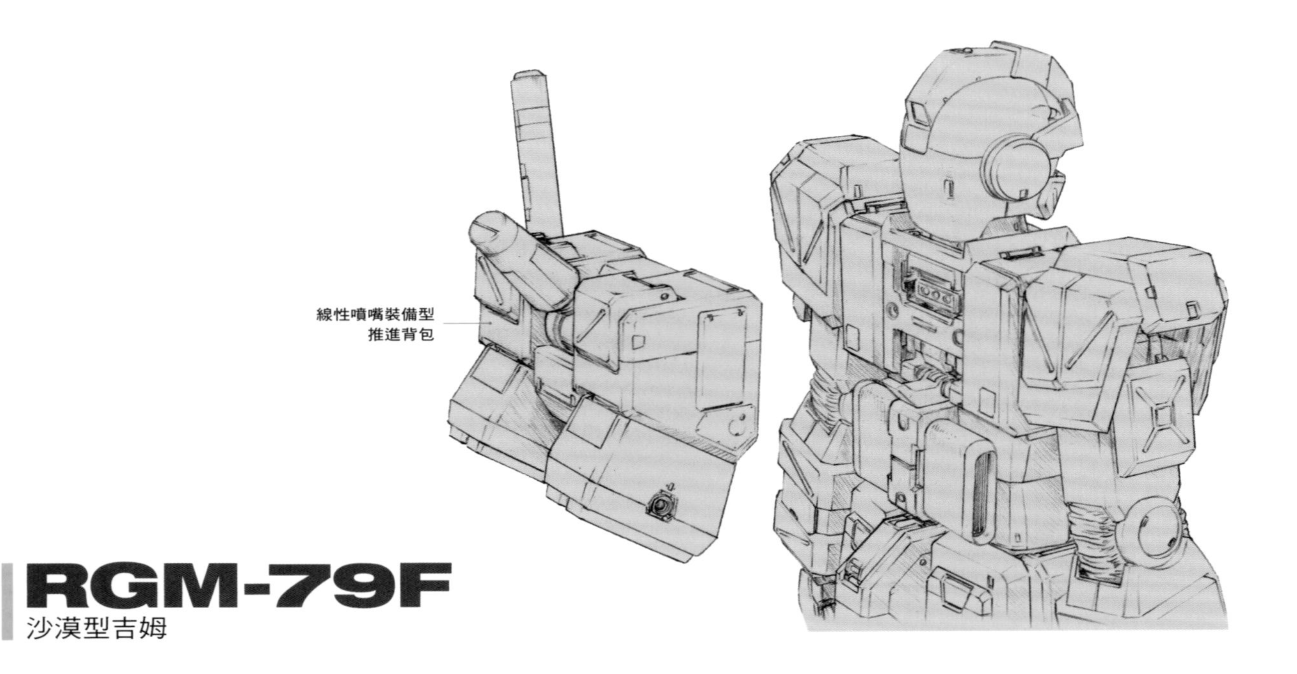

RGM-79F
沙漠型吉姆

本章節中所展示的機體乃是以B型為基礎，由工廠組裝完成後部署至前線的RGM-79F「沙漠型吉姆」。

F型系列RGM-79，除了有在工廠中組裝完成後才進行分發的機體之外，亦有在前線為運用中機體裝設「修改套件」的模式。雖然統稱修改套件，但實際上有著諸多規格存在，基本上，共通處為適用於戰爭後期部署數量最多的B型這點。就設計規格而言，這些應該都是同樣的零組件才對，不過從平衡調校等方面來看，相較於交給前線整備部隊直接裝設套件的機體，由工廠組裝的在調整上會處理得更細膩。另外，視製造時期而定，修改套件的內容可能會有著微幅差異，不僅會有著「沙漠型吉姆」和「裝甲強化型吉姆」這類區別，有時就連相同機型之間也會存在個體差異。

頭部組件

這類修改套件中內含的增裝零件，屬於供B型頭部外殼使用所設計的強化裝備。在內部搭載機材也是以能夠直接對應B型標準規格為前提下，主攝影機以覆蓋式裝甲設計成為可完全覆蓋透明護罩中央頂端的形狀。視機體而定，亦有配合撤除頭部固定式武裝的例子，雖然也有資料指出這是「沙漠型吉姆」的標準設置方式，但並非所有機體都是如此。之所以撤除火神砲，據說理由在於考量到沙漠地帶的毒辣陽光照射和高溫，為了避免作為電子機器平台的頭部內溫度過高，必須強化相關冷卻機構才行，因此才會拆除固定式武裝，騰出裝設必要機材的空間。不過各位可別忘了，MS原本就是以在太空中運用為前提，而展開設計和製造的機體，因此在構造上肯定也會充分顧及隔熱方面的需求才對，就算拆除太空用裝備，也找不到非得連同機體內外殼構造一併更動不可的理由。

撤除火神砲的理由，其實純粹是更換用砲管和彈藥的消耗量很大，但在補給狀況欠佳的情況下無從順利運用，只好撤除這類固定武裝，以免形成呆重。

胸部組件

胸部也是按照B型機體可對應的規格，製作換裝用裝甲。不僅設置可與B型機體胸部相契合的進氣口，為了增加吸氣量，在排氣＆散熱口側面亦設置了輔助進氣口。這幾處吸入的氣體會經由獨立管道，供機體內部熱交換專用。

駕駛艙蓋處裝甲採用外裝於原有機體上的形式，由於構造上與非爆炸式反應裝甲連為一體，因此屬於裝甲相當厚的大型零件。另外，腹部裝甲還追加了吊掛於胸部裝甲下方的增裝裝甲，不過未設置該裝甲的機體也不少就是。

腰部區塊

即使是組裝了修改套件的修改機，亦有不少是未修改這個部位就直接運用的。至於工廠組裝機，則是從原本像B型一樣整片疊在中央區塊上作為保護的形式，更改

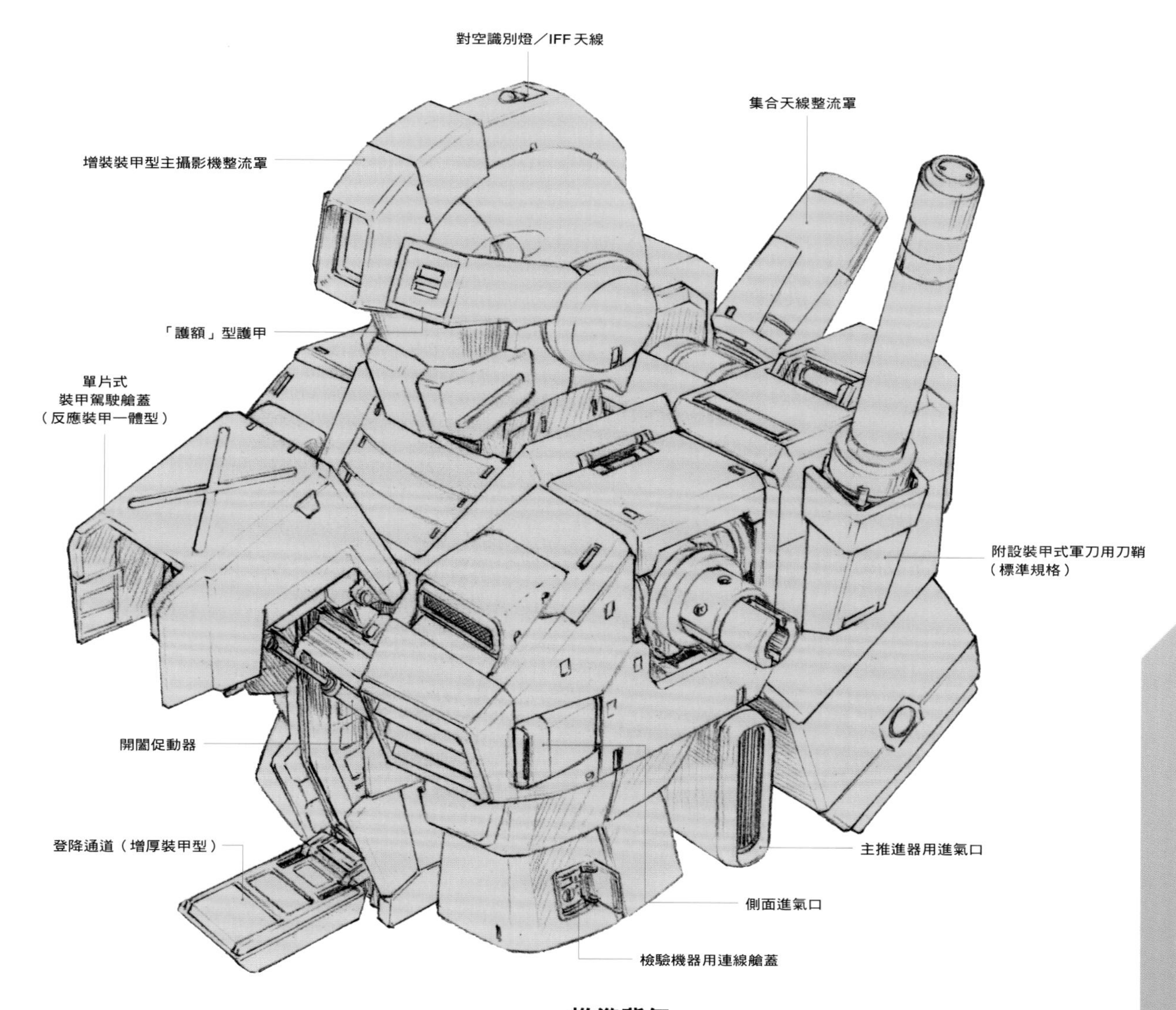

為像奧古斯塔工廠製D型一樣，在往前凸出的中央區塊左右兩側各設置一片。雖然就輪廓來看，正面裝甲是從覆蓋住中央區塊的部位分割開來，裝甲厚度卻也比B型原有狀態增加約10公釐。和後述的FD型一樣，這部分增裝裝甲是設置在原有的內藏式掛架機構上。

後側裝甲也配合中央區塊增設推進器的需求，改為分割成左右兩片；為了將掛架強化為可供掛載大口徑火器的形式，就連增裝裝甲也加大尺寸。至於增裝推進器，則採用有別於同時期其他RGM-79系機體的線性噴嘴。這是屬於內部設有偏轉裝置的裝備，能更有效率地變更噴射軸線；且就剖面積來，看也比圓形噴嘴規格來得更大，可預期比同體積的裝備發揮更大推力。因此即使未能解決連續使用時不夠穩定的問題，卻也還是設置這組噴嘴。不過這樣一來，確實能更精準地進行空中姿勢控制，運用部隊亦給予十足的肯定。

推進背包

為了與設於臀部的線性噴嘴取得平衡，推進背包的主噴嘴也換裝為線性型版本。這種推進背包在上側的基本外殼構造方面沿用了D型的設計，卻也全新設計噴嘴整流罩。噴嘴採用單側並排兩具的形式，剖面積同樣比D型用圓形噴嘴更大，推力也增加了。之所以設計成細長開口狀，用意在於集中噴射方向，進而發揮高效率的推力。左右兩側噴嘴整流罩均能個別從中央位置進行＋10度至－5度的擺動，而且個別整流罩內的線性噴嘴也都能朝左右轉動5度。如此即可集中或擴散噴射範圍，做到空中姿勢機動的微幅調整。即使同樣有著難以連續使用的隱憂，卻也還是設置這組線性噴嘴。在左右整流罩外側還設有小型的姿勢控制用噴嘴，當在空中進行機體軸旋轉時便會使用到。

在身體和噴嘴整流罩之間設有大型的強制式吸氣口，冷卻用空氣正是經由這裡供給，推進背包和增裝推進器

CAUTION/MODEX : RGM-79F

RGM-79F警示標誌／識別編號

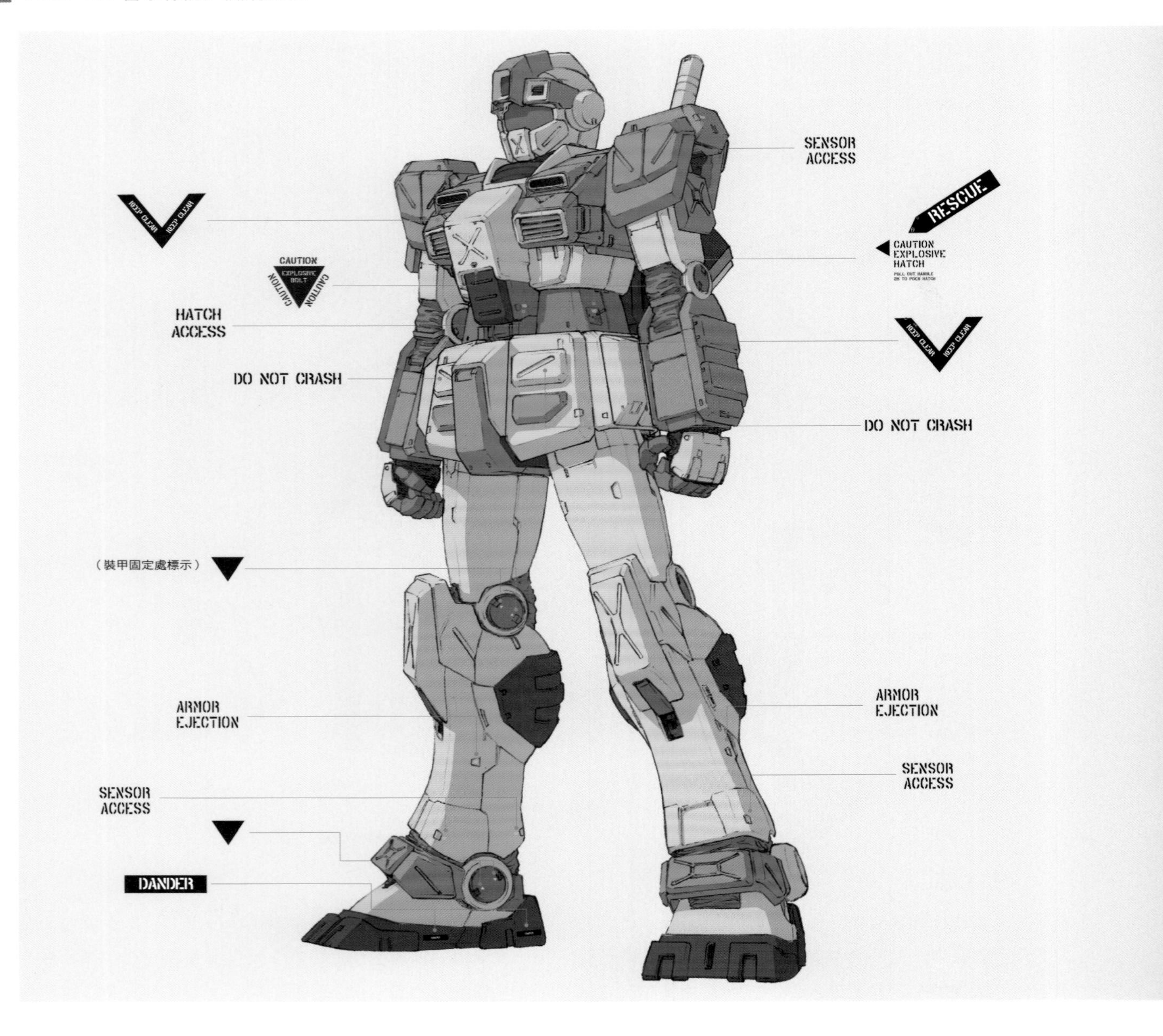

的冷卻用空氣也都是來自該裝備。經過熱交換後，熱氣就會從整流罩和噴嘴之間的些許縫隙排放出去。

推進背包上側中央搭載了經過強化的通信系統和其天線。圖中這種錐台形天線整流罩為強化位置顯示和方位偵測系統的型號，以需要在沙海運用、受限於地形影響而難以偵測自身位置的機體來說，不能缺少這類裝備已是常識。不過視米諾夫斯基粒子的濃度而定，該裝備亦可能成為無用的累贅，因此也會將太陽羅盤儀、天文觀測圖這類不知多少世代前的傳統沙漠戰用裝置列為標準裝備，派發給駕駛員。

臂部／機械手

圖中為手掌處配備了裝甲強化型手背護甲的「沙漠型吉姆」。該處原本只是用來保護機械手主要驅動部位的裝甲罩，因此從研發之初就屬於不打算大幅度重新調整設計的零件。不過在實際運用A／B型之後，發現手背護甲末端（指頭這側）在粗魯操作下受損的例子屢見不鮮。揮「拳」毆擊目標之所以會成為明令禁止的MS操作方式，正是基於有人曾這樣錯誤使用，不然機械手受損和故障的狀況將會層出不窮。

採用這種補強型手背護甲的用意，在於多少減輕末端

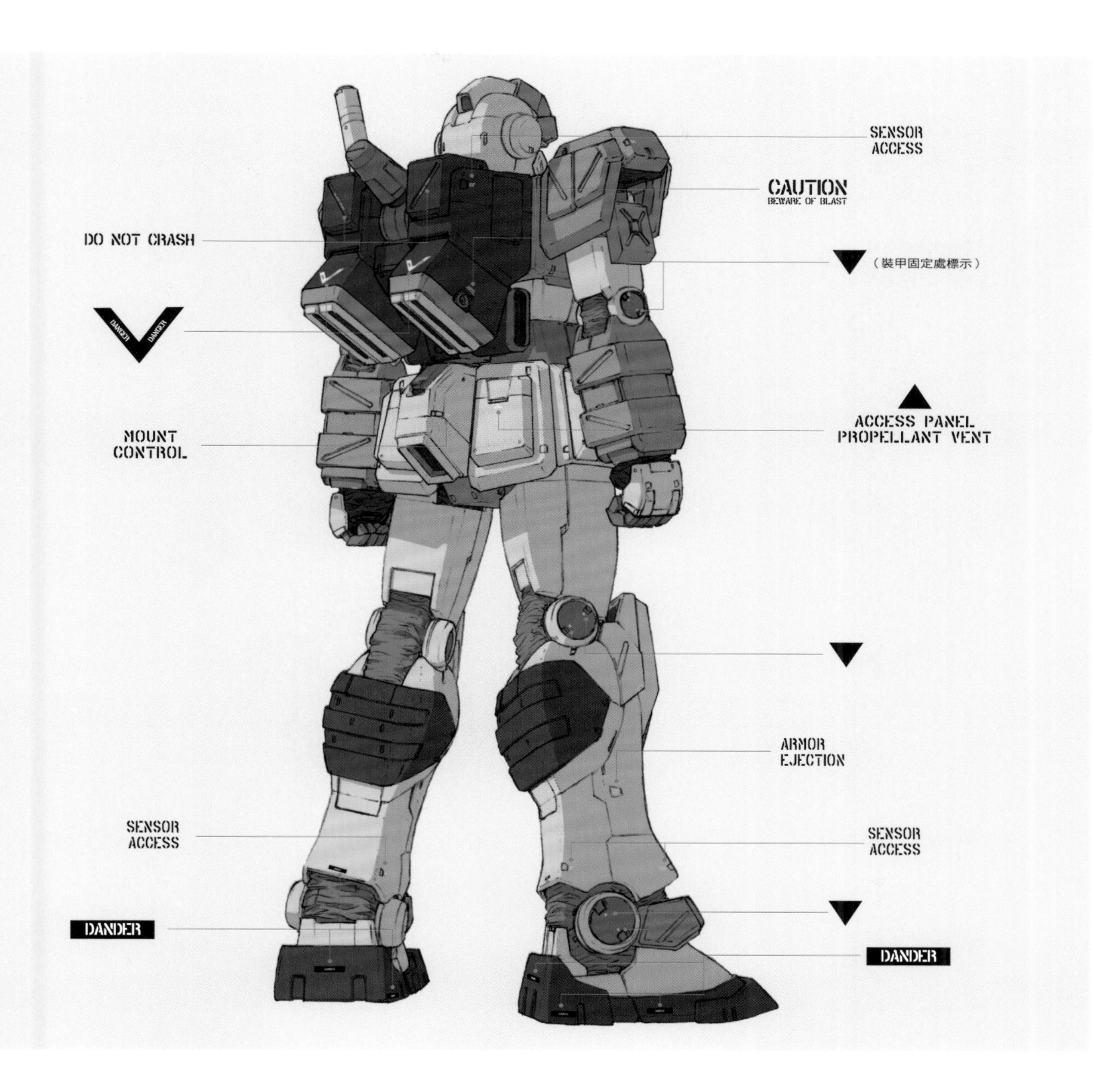

部位受到的損傷。之所以一併裝設防塵保護套，目的也是為了保護掌心處的武裝插槽。但考量到在前線駕駛員眼中，這副模樣等同於許可使用「拳打毆擊」作為攻擊方式，後來也就立刻中止採用這種設置方式，改以將整體增厚的形式來解決。因此只有在初期部署的局部機體上可以看到圖中這種手掌。

腿部組件

以小腿為中心，設置有覆蓋式增裝裝甲。尤其對於埋伏地面的敵方士兵來說，膝蓋正面和腳踝皆屬於首要的攻擊目標，當然也就針對該處特別強化了裝甲。不過也有人指出，膝蓋和腳踝採用的反應裝甲實為爆炸性反應裝甲，用意在於連帶殺傷攻擊該處的敵方士兵，但這個說法的真偽不明。

各關節部位均加裝保護套，做好防塵處理。保護套材料是以碳為主體的碳纖維材質，並且搭配壓電纖維，編織成具有五層構造的密織布，以便經由電子式測量監測確認各保護套的損耗狀況。保護套最外層還加入鈦合金纖維，因此在強度上足以抵禦一般士兵使用的10毫米口徑步槍彈和機槍彈。

PROJECTION VIEW : RGM-79F

RGM-79F圖面

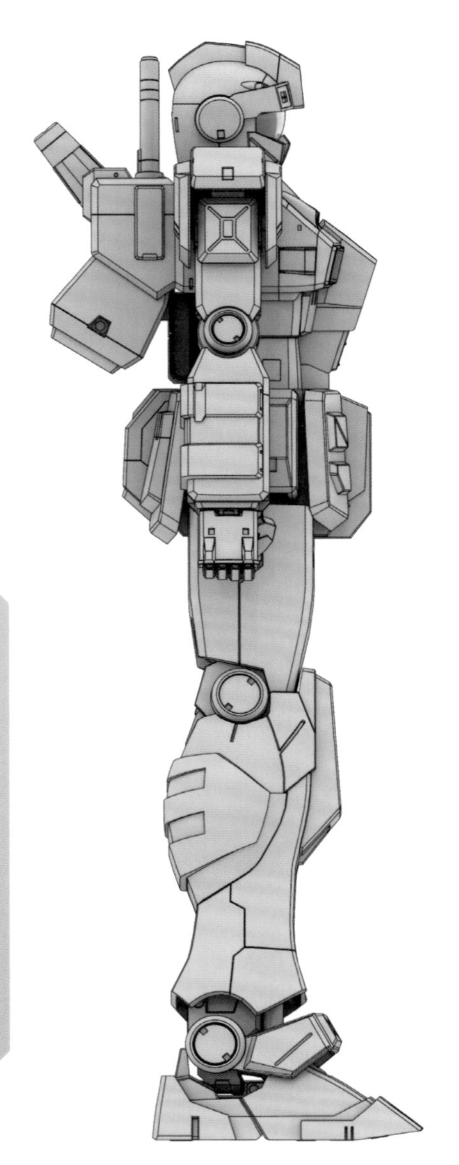

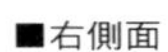

■右側面

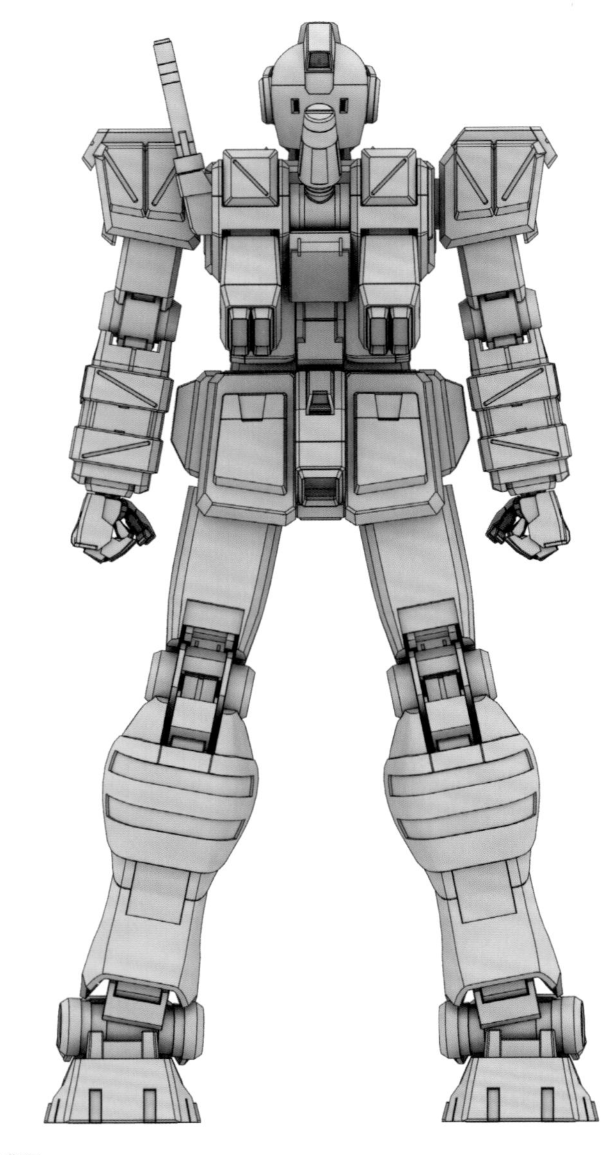

■背面

■頂面

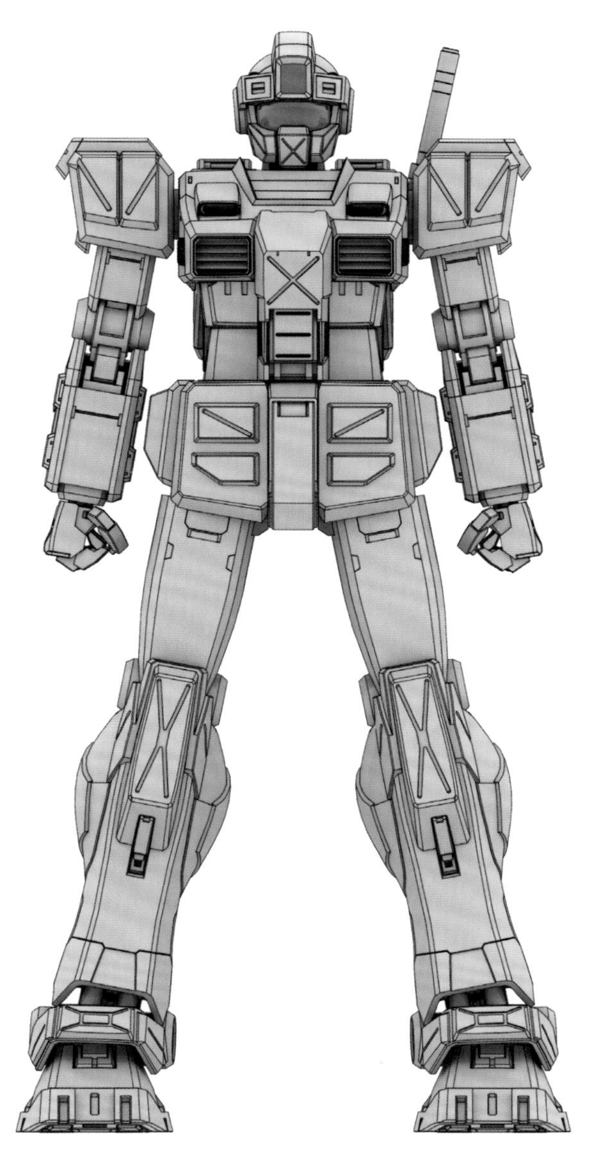

■正面

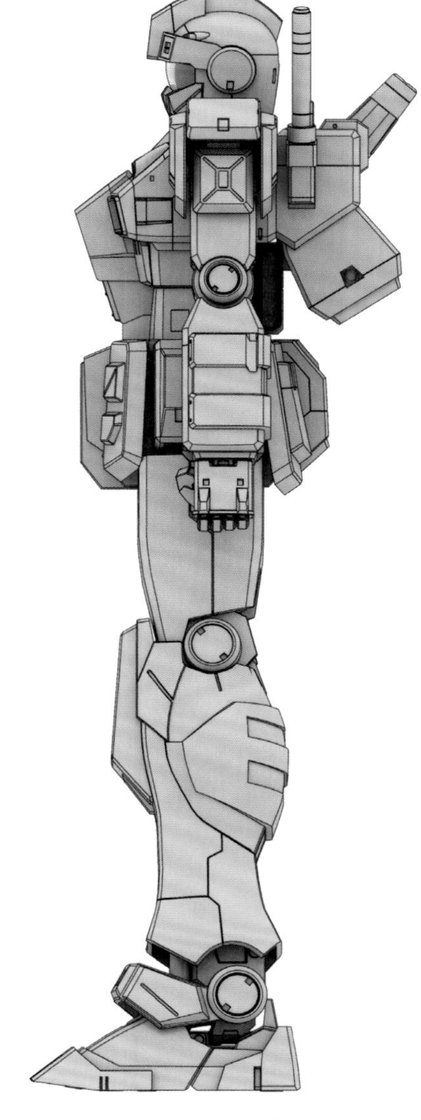

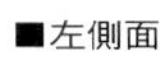

■左側面

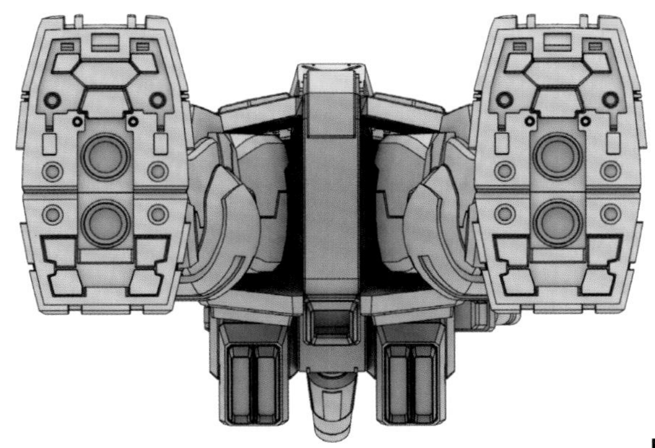

■底面

RGM-79FD
裝甲強化型吉姆

本章節要介紹前述F型系列機中被稱為「裝甲強化型吉姆」的機體，尤其是針對奧古斯塔工廠生產的RGM-79FD（連同該修改套件在內）進行解說。

在一年戰爭後期，有鑑於RGM-79F「陸戰用吉姆」這架貝爾法斯特工廠製機體的顯著成效，奧古斯塔工廠也奉命生產針對地面戰特化的RGM-79重裝甲規格機。雖然軍方高層下達這個指示的用意，基本在於進一步擴大生產「標準的」F型規格機，不過該工廠設計團隊以不會延遲交貨為條件，在針對增加重量一事做出更周全的對策這個名目下，提出了包含重新設計構造在內的修改型方案。有説法指出，這其實只是對貝爾法斯特工廠這個非主流設施抱持競爭心態，設計團隊才會打算設計出更勝於F型的「真正」重裝甲規格機來宣揚實力，但是否為真就無從證明了。

奧古斯塔工廠起初打算配合自身已開始生產的D型製造專屬「修改套件」，或是轉為生產以D型為基礎的全新製造強化型機體。不過遷就於預算和前線需求，賈布羅總部下達要以可供修改已完成部署的B型為優先的方針，因此只好著手構思可供B型機體換裝的設計案。話雖如此，在機體的裝備、運行動作程式等方面，仍具體反映了D型的運用資料和相關經驗技術。

本機型在基本設計上所著重之處，正是以施加能與吉翁公國軍重MS、大口徑化火器相對抗的修改為中心，這方面相信已用不著再贅言敘述。但該要求並非只靠著重裝甲化、重武裝化這種單純的想法就能達成。要如何在無損於作為基礎的D型，或是RGM-79吉姆原有的輕盈機動性、高度生產效率這個前提下取得均衡，其實還頗有難度。照理來説，機體控制程式也得配合重裝甲化後靈敏性能的變化而全面重寫程式，不過靠著為D型用程式新增附加程式的形式，研發出卸除裝甲時也易於解除安裝的系統。

RGM-79FD的特徵，在於可以直接沿用該工廠為D型這架最新規格機體所生產的驅動系統和推進器等局部零件。另外，如同前述，經由運用D型所得的經驗與技術，也一併應用到這些裝備的設計上，因此比起外觀，重點其實更在內部構造和系統也有所改變，這可説是與其他工廠製F型系機體差異最大之處。但各位也必須留意，FD型並非由D型直接發展而來的機體，也不是改造機（D型的後繼機型應為G型和GS型這兩種「吉姆突擊型」，FD型純粹是以源自其他工廠的F型規格為基礎）。這點從內部構造和系統均具體反映了D型的相關設計即可佐證。

頭部組件

該工廠打算充分運用D型這種地面運用特化型MS的經驗和技術，於是先就「修改套件」，提出將頭部近乎整個換成D型版本的方案。D型用頭部外殼原本就是在不打算搭載太空用裝備的前提下修改設計，內部艤裝的各種感測器類裝備也都力求達到小型輕量化的目標，因此即使整體的外殼裝甲厚度比B型增加了10～20%，外觀也依然給人相當苗條的印象。另外，為了提高生產效率，各裝甲的構成曲面亦予以簡化，同時也簡化砲口制動器一帶的形狀，以便對頭部搭載火器進行整備（例如供彈、檢修、換裝等作業）。簡而言之，經由各方面展現出比B型更出色的能力，藉此在擬定F型規格一事上凸顯出其他工廠不具備的優勢，可説是一種滿足競爭心態的行為。

然而F型系機體的部署方針早已定案，其中絕大部分將會優先分發給地球上的特殊環境地帶，也就是部署於酷熱地域的部隊，這也代表機體必須做出相對應的調整才行。就像D型本身是以生產數量較多的寒帶規格最具代表性，該機型是根據溫帶至寒帶這個範圍進行設計。因此與其以D型為基礎修改設計，不如直接使用既有機型，也就是B型（太空用）的頭部外殼，這樣一來無論是在生產時間或預算方面都會比較妥當。

頭部外殼裝甲仿效了貝爾法斯特製RGM-79F「陸戰用吉姆」的設計，採取將外側增厚的設計，原本為因應太空用而設置在內部的隔熱材料兼內側裝甲則是直接保留。自不待言，這是為了在酷熱地域保護內部機材免於受到高溫、陽光熱度影響。由於循環式完全封閉型空調設備，以及運用到特殊凝膠類傳輸介質的蓄熱&散熱機材不僅高價，重量也不輕，因此將這類設備均撤除，改

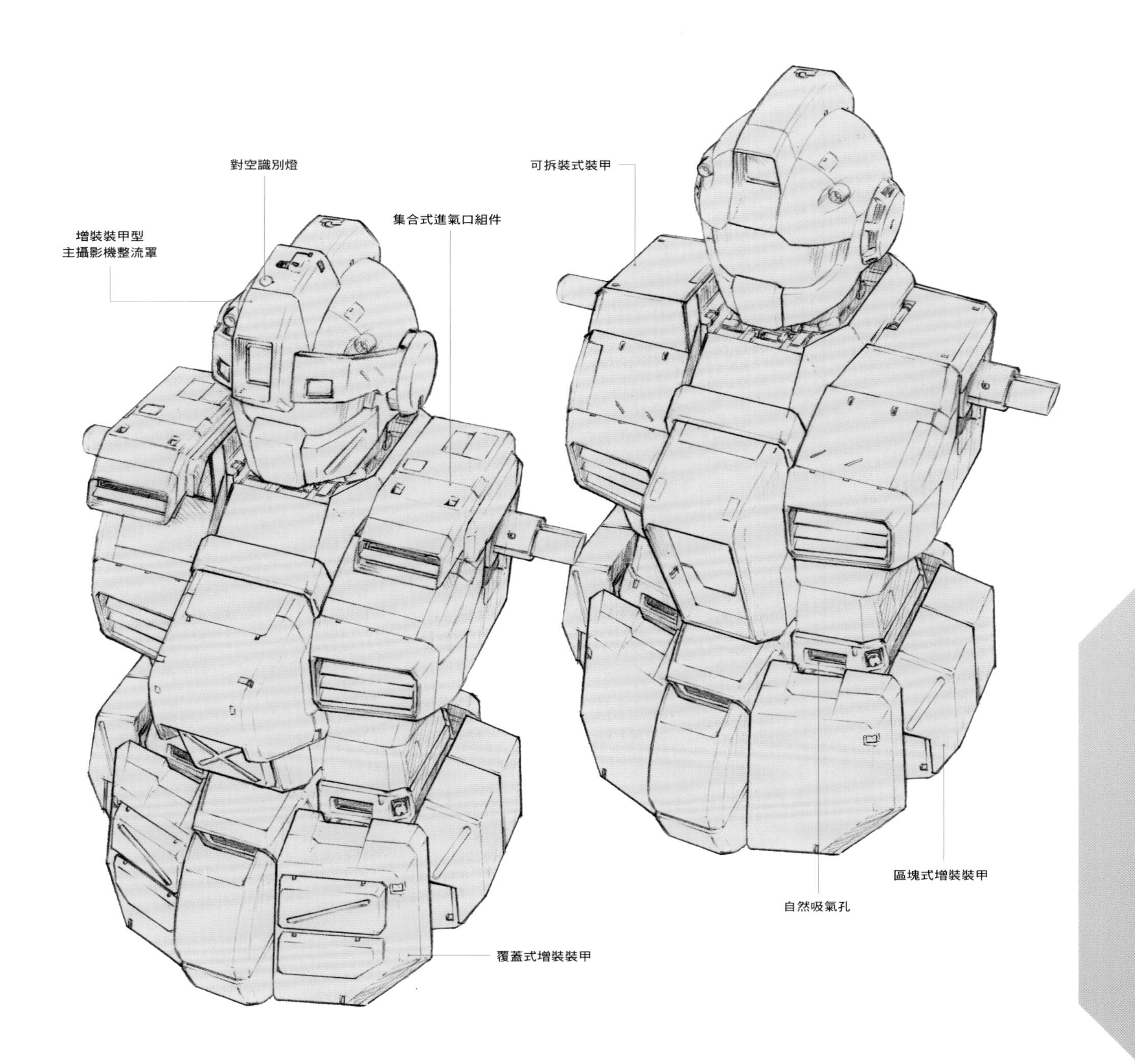

為裝設一般常見的空調設備，也就是搭載經由吸入外部空氣作為蓄熱媒體的空氣循環式排熱裝置。

電磁波穿透性正面裝甲，也就是透明護罩直接配備B型本身的零件，不過有鑑於D型的器材面積都較小，內部艤裝的各種感測器類機器也就集中設置於中央部位，因此基於減少外露面積這個目的，透明護罩頂端亦用外裝式裝甲覆蓋。

雖然主攝影機看起來像是改為裝設在比一般B型更偏前下方的位置，但裝甲強化型的主攝影機為增裝裝備，內藏於B型原有位置的主攝影機仍維持不變。該增裝主攝影機設置在厚度為一般頭部外殼裝甲兩倍的覆蓋式裝甲裡，還能發揮作為主感測器的機能。而且當這處整流罩中彈損毀時，只要將整個裝甲組件給排除，內藏於B型原有位置的主攝影機就會立刻啟動。這種複式機構是為了減少頭部整體重量，撤除太空用散熱排出機構後才得以設置，可說是B型頭部外殼獨有的副產物，哪怕以D型頭部外殼修改也無從對應。以往MS都沒有複式主攝影機這類特地艤裝備用裝置的機構，畢竟屬於高價裝備，但第一線運用人員對於該設計可說是大表支持。話雖如此，同類型系統在之後的生產型上並未列為標準裝備，畢竟唯有在將「現有物資」運用到最大極限的前提下，才能造就RGM-79FD的頭部這種產物，終究是配合研發狀況做出調整的特例。這組主攝影機內藏型覆蓋式裝甲還設計成能夠直接遮擋，保護正面主透明護照頂

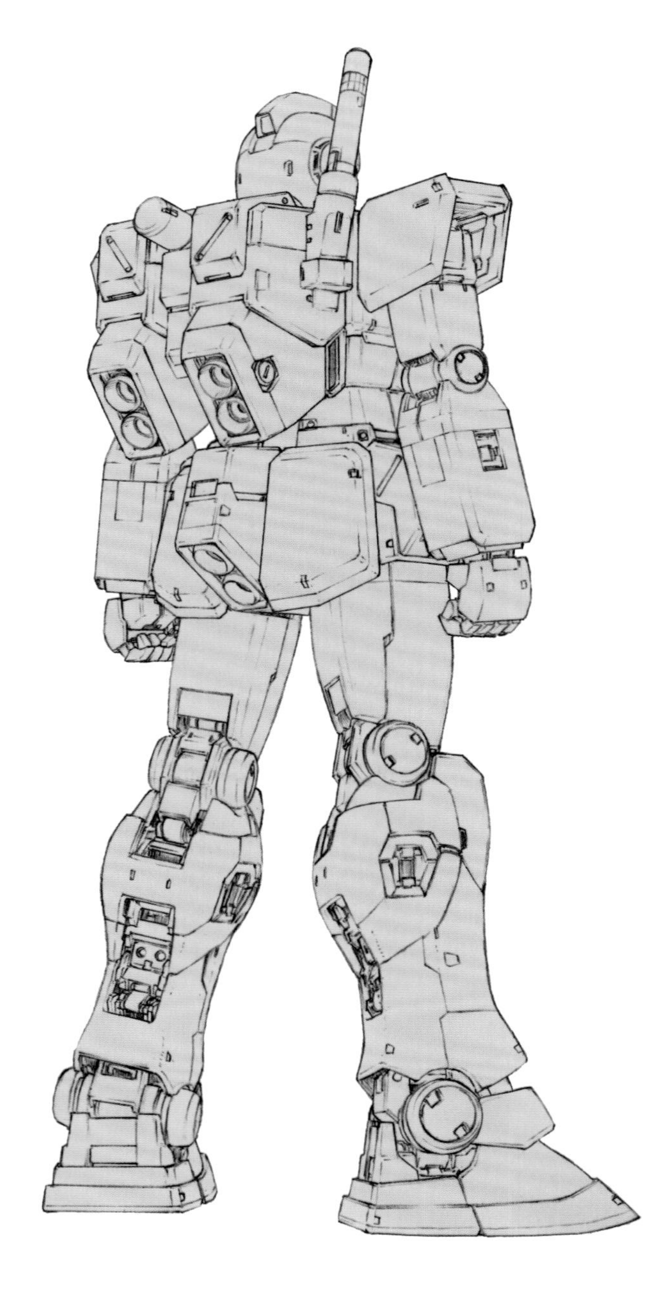

端（因為後方沒有設置任何感測器類裝置）的形狀。

「耳部」裝甲同樣是直接使用B型的標準零件，也就是設有散熱溝槽（但已撤除內部機構）的版本，並將錐台形覆蓋式裝甲套在該處，利用內藏可咬合溝槽形狀的掛架機構加以固定。這組耳部裝甲在設計方面的機能之一，也是用來保護透明護罩頂端的橋形增裝裝甲，作為裝設基座之用。關於該如何保護透明護罩頂端，其實有著比照RX-78系機體採用的「帽簷型」構造，設計成與額部裝甲連為一體的形式，以及設置附加式裝甲這兩派意見，不過後來基於以耳部裝甲為支點便可讓裝甲向下轉動，遮擋透明護罩，即可更充分發揮保護效果，於是便採用可動式透明護罩保護裝甲（設計團隊還從西洋鎧甲獲得靈感，命名為「面甲眼罩」這種有點繞口的稱呼）的設計。雖然並沒有明確呈現放下該裝甲狀態的圖像資料可供參考，不過當陷入敵我雙方混戰的狀況時，這應是相當有效的防禦手段。附帶一提，亦有生產現場的意見與設計團隊有所出入，日系技術人員認為「這根本就是護額嘛，還真是復古啊」的看法一路傳到前線，因此第一線運用人員乾脆稱為護額型護甲的逸聞。

雖然仍直接搭載聯邦軍MS標準武裝的托特·康寧漢製60毫米火神砲，不過透明護罩保護裝甲的待命位置會遮擋射線，於是便在「護額型護甲」上特地設置方形的射擊孔。假如是以待命位置的機關砲射擊需求為重，那麼只要在增裝裝甲上側設置缺口狀結構就好，由此可知，這部分在設計概念上明顯是以發揮透明護罩保護裝甲的機能為優先。

胸部組件

D型把設置在胸部組件肩頭部位的進氣口列為標準裝備。該裝備是利用外部空氣，作為冷卻機體內部搭載機器，以及推進背包內藏式主噴嘴所需的熱交換媒體，與頭部一樣是用以取代已完全撤除的太空用封閉式冷卻系統。同樣因為自然吸氣形式的空氣流入量不足，進氣口裡也設置了多翼式送風機，以便吸入外部空氣後經由各管道分別輸送往設置於機體內部、駕駛艙，以及推進背包的熱交換器。

為了增加吸氣效率，FD型將原本設置在D型機體外殼上的半埋入式進氣口修改為獨立組件，並且將分別通往機體內部與推進背包的管道加大剖面積，藉此改良空氣的流通量。由於得在酷熱地帶進行運用，再加上主噴嘴由兩具增為四具，因此才會透過這種方式強化冷卻機能。D型本身是在較寒冷的高緯度地域運用，向來很少發生和冷卻主噴嘴相關的嚴重狀況；不過既然是在酷熱地域運用，就得設想到在過熱情況下可能發生的狀況，據此審慎擬定萬全的對應策略。在前述進氣口中央設有可轉動的橫向整流板，這部分平時位於中央，以便確保有均等的空氣量能流入機體內和推進背包。當然亦能調整角度，以便對流入空氣量進行第一階段分配調整。此外，在整流板轉動90度呈現闔起狀態時，進氣口會自動停止吸入空氣。之所以引進這種機構，用意在於設想

RGM-79FD（未裝設增裝裝甲）

RGM-79 FD (STRIP)

■圖為正在接受前線改裝，以便設置RGM-79FD修改套件的RGM-79B。由於已將必要的各部位外裝和內藏機器都換成了該套件附屬版本，因此可說是尚未設置增裝裝甲的狀態。

到在戰鬥中被捲入近距離爆炸、火災等事故時，能夠避免將燃燒的氣化物質吸入機體內。

胸部左右兩側的排氣＆散熱口並未像F型一樣採用裝甲風葉，也沒有採用屬於D型標準裝備的高流速排氣風葉，而是恢復了B型標準形式的三片整流板型版本。雖然該處設置了著重裝甲性能的兩段式擾流口，但開口部位面積實質上比D型來得更大，機能上當然也是以排氣＆散熱為優先。B型在內部設置了具有空壓推進器機能的排氣口，D型則是為了進一步提升該處的運作效率，於是研發、艤裝高流速排氣風葉。不過基於在酷熱地帶使用的考量，後來決定以排氣＆散熱為首要機能，於是修改這部分的形狀。

駕駛艙一帶的重裝甲化幅度也在F型之上。之所以會如此修改，一方面是為了和強化輸出功率的推進背包在物理上取得平衡，也就是發揮配重的效果，另一方面亦是希望藉此提高駕駛員的生還率。

D型本身當然也像F型一樣採取裝甲強化措施。其實光是就這點來說，就已經符合B型強化裝甲規格的概念了。不過作為對抗公國軍重MS的策略，後來還進一步強化外裝部位，並且列為FD型的標準規格。雖然戰後有MS研究學者對吉姆家族進行有系統的分類整理，卻還是有著不管怎麼歸類，都難以整合進系統樹的獨立分枝，FD型可說是這方面最具代表性的機體。就實際的設計＆生產現場來說，每天作業時都會分階段、分時序加以整合（這也是理所當然之事）才對，而且為避免混淆，製造時應該還會加上公司內部或設施內生產規格的紀號。不過對於採購運用的軍方兵器採用部門來說，只要統一歸類為「強化裝甲的新型吉姆」就好。在將這些機材命名為RGM-79FD的時間點上，其實就已經注定後世的研究學者將為會此混淆不已了。對運用現場來說，有著著重統一規格的B型，以及進一步發展出的D型這兩種基礎，因此能對應前線修補和改造的高性能化也被限制在一定範圍內，不至於造成太大的問題，這也是實際上的狀況。

回到主題，為D型強化裝甲時，首先就是從駕駛艙一帶開始規劃。即使從B型發展到D型，這裡也屬於改變幅度並不大的部分。除了將駕駛艙登降門從單片式改為在上側設有閉合板的防狙擊規格以外，其實沒有太大的更動。不過駕駛艙蓋一帶相對地脆弱，這是之前就被指出的問題之一，因此FD型在研發階段也就從製作這部分的強化修改組件著手（屬於修改版的第一層裝甲，本身是以強化修改套件形式供已量產的D型在翻新修改時使用，預定在獲得許可後將會修改生產線直接套用），接著再仿效F型和[G]型，加上覆蓋式的強化零件（第二層裝甲）。

儘管如此改良駕駛艙蓋構造，確實如預期提高構造強度，就連近接戰鬥時的耐彈性和耐衝擊性也獲得提升，不過最終卻沒有留下套用該組件，大幅度對D型施加翻新改裝的紀錄。單單只是設置這種雙層裝甲艙蓋，內部也得追加裝設開闔機構才行，這將導致整體增加不少重量。對於腿部沒有增設輔助推進裝置的機體來說，該處受到的負荷顯然加重許多，這應該就是後來一般D型未採用該組件的理由所在。

附帶一提，在駕駛艙蓋的第二層裝甲表面上亦設有反應裝甲，不過這部分採用非爆炸式反應裝甲。

腰部區塊

與D型有著顯著差異之處，在於採用了完全遮擋住中央區塊的覆蓋式裝甲，以及形狀經過重新設計的吊掛式正面裝甲。由於中央區塊後側增設兩具燃料式輔助推進器，因此D型原有的簡易單片式（左右兩側並未完全分離，而是在正中央鬆散地結合起來，當其中一側掀起時，另一側也會連動掀起）後側裝甲也有所更動，改為分割成左右兩片，並設置在後側中央區塊推進器整流罩的兩側。雖然正面、後側的裝甲均往下延長，不過為避免限制腿部的可動範圍，外側邊角設計成大幅度轉折的斜邊；至於側面裝甲，在輪廓上則是與該斜邊的頂端相銜接。這些裝甲均內藏有可供掛載武裝等選配式裝備的掛架機構，這部分也和F型一樣，進一步設置可保護艙門等構造的增裝裝甲。這類增裝裝甲亦全都採用非爆炸式反應裝甲。

中央區塊的正面覆蓋式裝甲，在頂端設有進氣口，該處當然是為了冷卻後側增設推進器類機材吸入的空氣，而且屬於強制性的吸入系統。

不僅如此，還增設了保護下側框架和腹部裝甲處可動部位的間隙護甲，這是其他機型所沒有的裝備。而且為了遷就在腹部下緣增設備用的進氣口，因此正面裝甲頂端的位置會比一般規格偏下方一些。當機體內部達到一定溫度時，暖氣（熱氣）就會基於煙囪效應自然上升，然後從這組備用進氣口（實際上是可供空氣自由流通的開口）往外排出，可說是隨著自然吸氣附加了輔助熱移動的機能。雖然是屬於地球上獨有的裝備，但能發揮多大的效果其實並不明確。從其他機型沒有引進同類型設計可知，實際上的效益顯然不如預期。

推進背包

此機型的推進背包，在基本架構上是以D型為準，卻也設置可將主噴嘴容納其中的箱形裝甲整流罩，藉此提高防禦力。但這樣一來，噴嘴的散熱效率會變差，因此在推進背包與身體之間的空隙增設矩形進氣口，以便強制吸入外部空氣，並在噴嘴周圍釋出，使熱量不會累積在整流罩內部。此設計的吸入空氣還會與從腰部正面流入、經熱交換器處理的高溫氣體混合，有效降低溫度後再往外排出。

在噴嘴整流罩上側還設有燃料槽貨櫃，該處備有強韌的裝甲罩作為保護。

光束軍刀用刀鞘換成輕量型版本，省略了原本罩住周圍的方形護甲。雖然舊有型號刀鞘能夠相對於軍刀軸方向往外傾轉8度，以便拔刀出鞘，但輕量型可傾轉的幅度被限制在3度以內。由於充電性能取決於內藏機材，因此無從一概論斷優劣。

F型裝設的頭部天線不僅修改成選配式裝備，更用罩

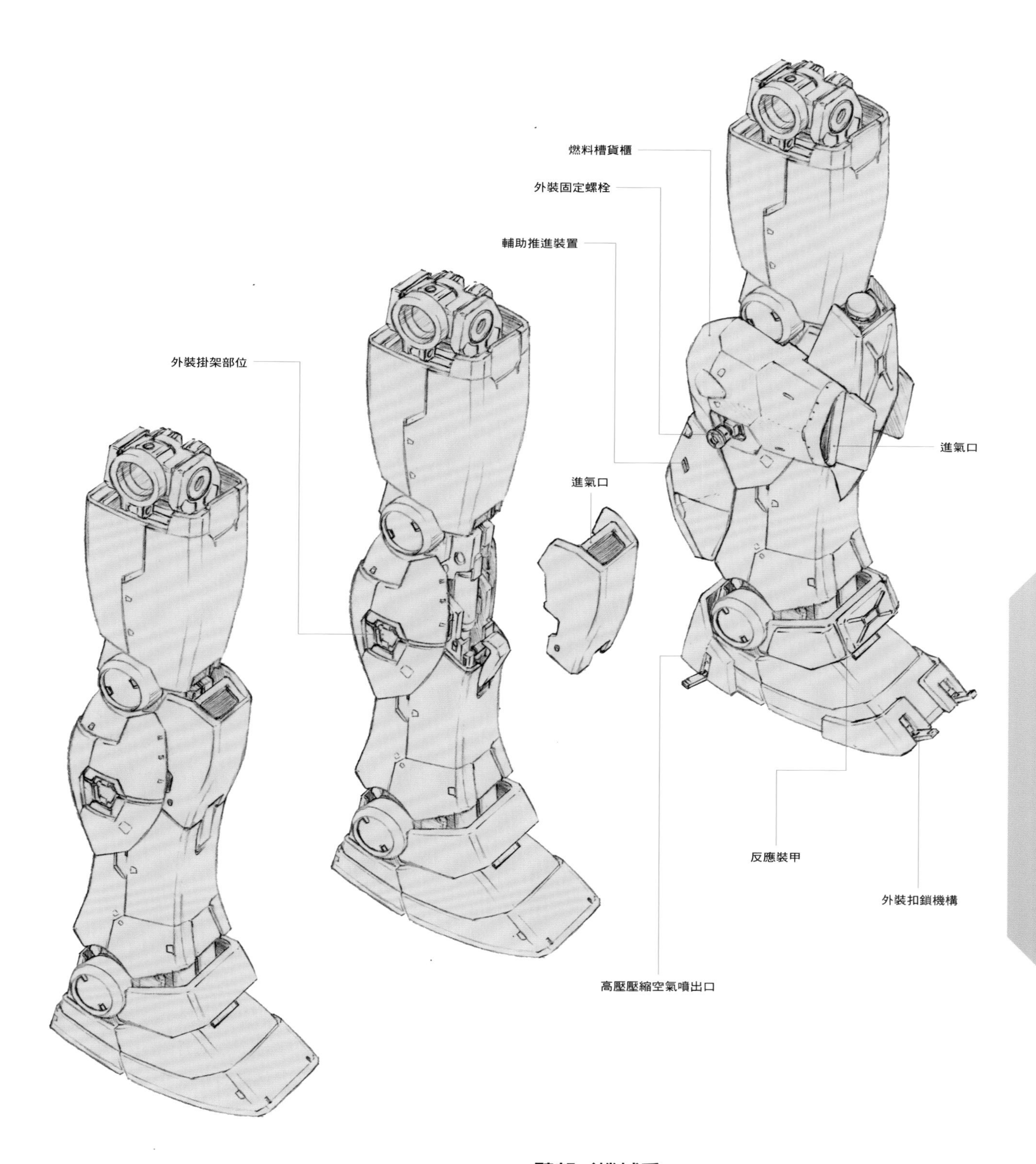

在圓筒形外裝零件裡、設置在兩具燃料槽貨櫃之間的高輸出功率型全方位天線來取代。通信用送收訊機材收納於下側的軀體裡，可藉由通信轉播用航空機，進行長距離通信和數據資料連線。這種天線組件另有更高指向性版本所構成的大型裝備套組，可因應投入的戰域所需換裝使用。當然也還是能為頭部裝設桿形天線。

臂部／機械手

基本上直接使用D型的標準組件，不過肩甲的前後兩面，以及頂面的可動部位一帶，均設置有覆蓋式裝甲。另外，上臂頂端的驅動部位也設置懸吊式保護用增裝裝甲。這些都是非爆炸式反應裝甲。

前臂部位為了保護轉接機構和掛架，也同樣追加增裝裝甲。

CAUTION/MODEX : RGM-79FD

RGM-79FD警示標誌／識別編號

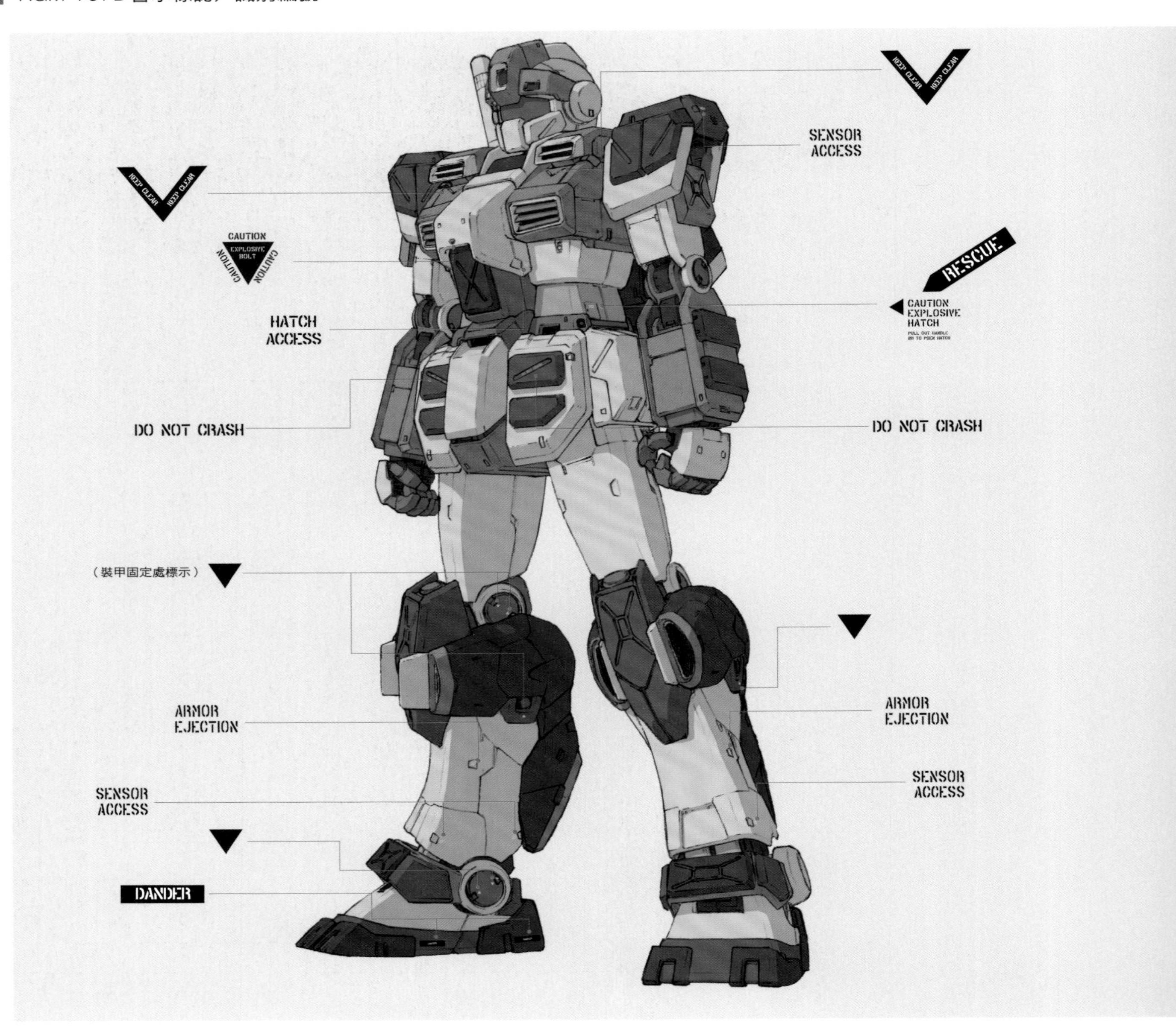

腿部組件

本機型的登場背景和吉翁公國軍在敖得薩作戰時投入了MS-09「德姆」密切相關，這點相信用不著再贅言。不過吉姆和該機種在機體設計概念上可說是截然不同，無從施加那麼極端的修改，只能用盡可能地附加機動性輔助機能作為妥協方案。

而為小腿肚下方增設輔助推進裝置，這就是RGM-79FD研發團隊所提出的解答。雖然前線所期盼是比照MS-09「德姆」的氣墊行進機能，或是類似的高速移動手段，不過就RGM-79本身的物理構造來說，明顯難以附加這類裝備。以合乎現實的策略來看，只能用全新增設輔助推進裝置的方式來解決，但即使如此也無法對應B型、D型等既有機體的基本設計。以小腿骨架為首的內藏緩衝機構、驅動系統強化等部分還是得全面重新調整才行。輔助推進裝置與相關機材，以及其外殼和裝甲則比照胸部裝甲，採用卸下該組件機體也能照常運用的設計，也就是比照F型「陸戰用吉姆」的使用方式。

相較於一般D型，膝裝甲往上方延伸一些，內側則設有進氣口。該進氣口會經由空氣通道，一路銜接至內藏腳底、取代原有噴射口噴嘴而全新設置的高壓壓縮空氣噴出口。靴子外圍覆蓋柔軟材質製護柵，只要從該處排

放高壓氣體，即可讓機體稍微往上浮起。暫且不論在平坦地面的使用狀況，就一般進行戰鬥的地域來說，這樣的功能實質上毫無意義可言，稱不上是有用的裝備。

然而小腿兩側增設的進氣口、小腿肚內藏的燃料槽貨櫃，以及其下方的縱列式輔助推進噴嘴，即使嚴格說來不足以做到氣墊行進，但在全備重量增加的情況下，跳躍能力卻也遠勝於一般D型機動時的瞬間爆發力。推進背包也同樣會強制吸氣，經由熱交換器處理後，與膝蓋進氣口吸入的常溫空氣混合，從噴嘴的整流罩排出。

附帶一提，配備輔助推進裝置時，膝蓋處進氣口會以圓筒形裝置遮擋，不過該保護罩也另外在膝關節構造這側設有開口。

防塵裝備

FD型在設計上並非沙漠地帶專用機。不過從戰況的發展來看，早已預見往後運用於酷熱地帶，尤其是沙漠地帶的比例將明顯偏高，因此亦準備了各進氣口的專用防塵過濾器，以及用來保護各關節驅動部位的防塵罩等選配式裝備。為了使在該地域運用的FD型以外的機體也都能設置這些裝備，因而採用可調整式掛載機構。

PROJECTION VIEW : RGM-79FD

RGM-79FD圖面

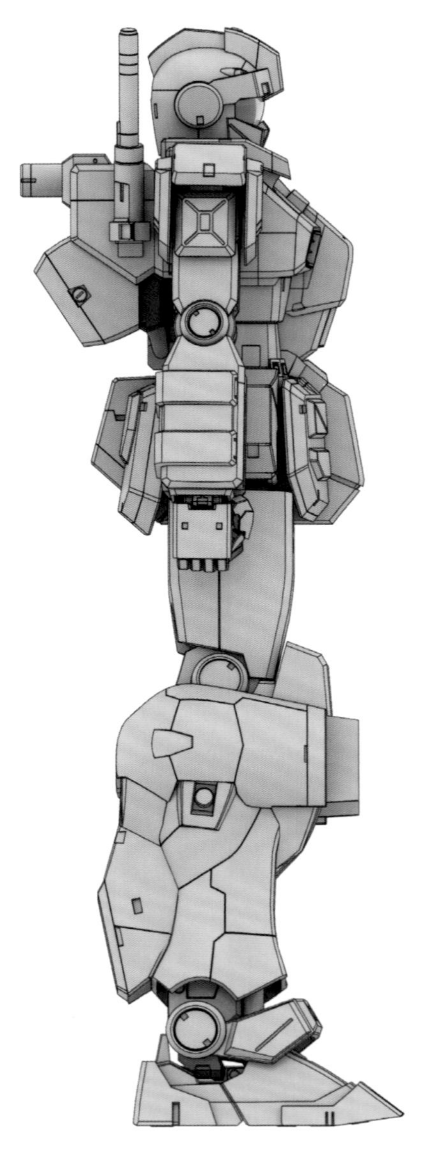

■右側面

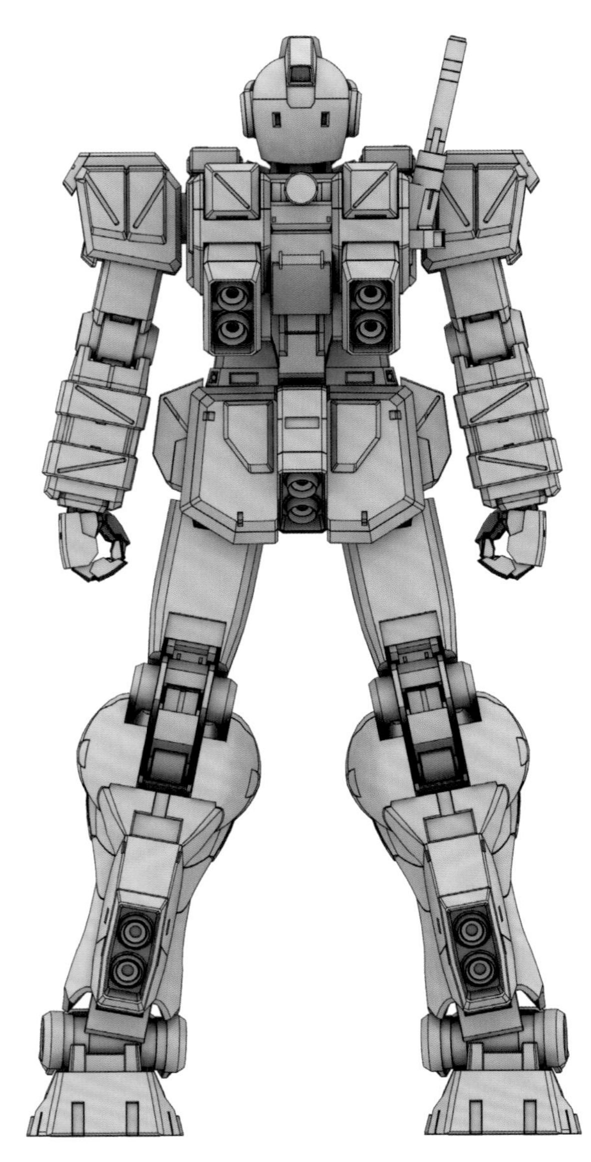

■背面

■頂面

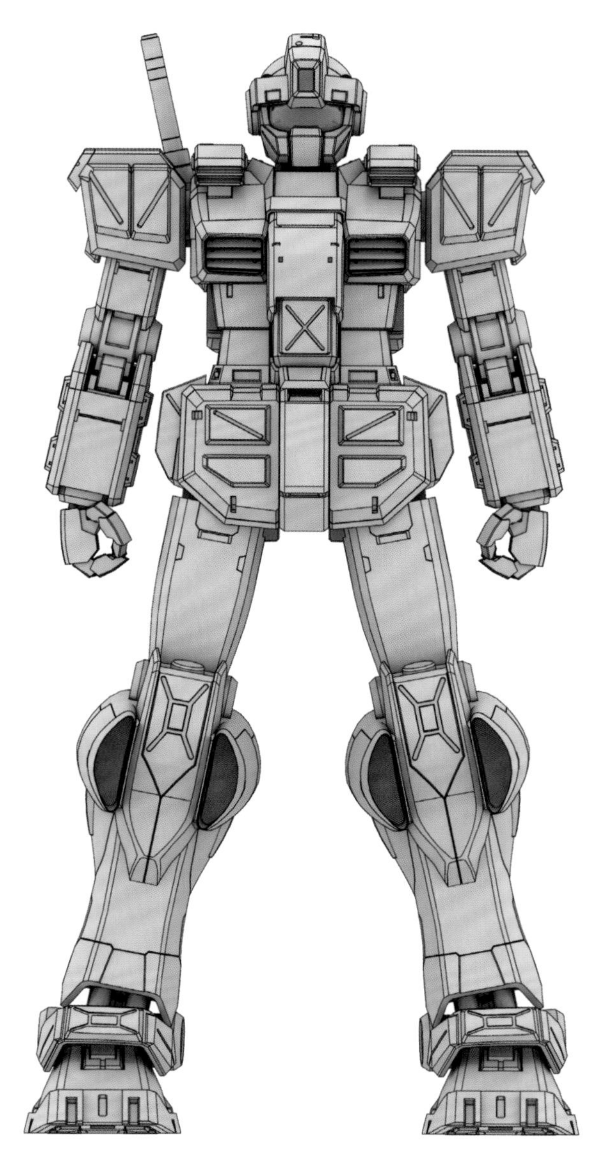

■正面

■左側面

■底面

RGM-79FP
吉姆打擊型

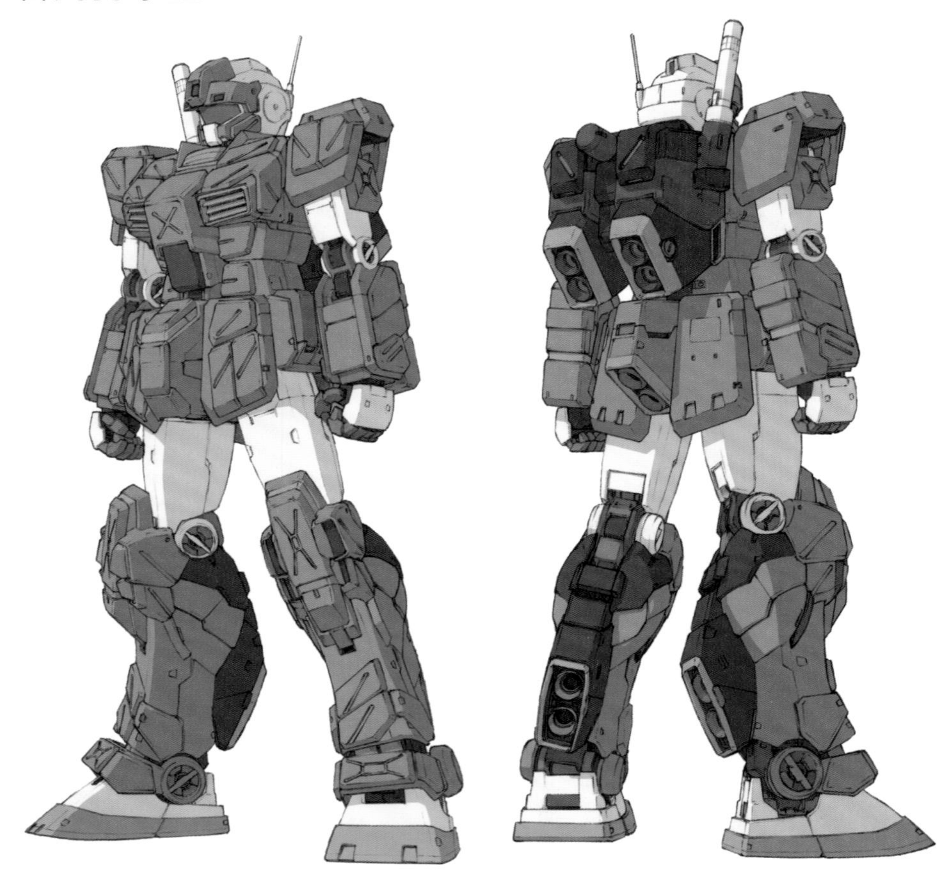

■RGM-79FP「吉姆打擊型」的標準配色。雖然分發到非洲戰線和中亞方面後相當活躍，但生產數量本身並不多。

U.C.0079年12月，賈布羅工廠的RGM-79C「後期型吉姆」（吉姆改）出廠，隨即先行生產。該機型是作為取代B型的次世代量產機而研發，在力求達成全面性改良之餘，亦採用著重生產性能的設計。有別於G型系列，所有零件都能用地球上的生產設備製造。雖然是賈布羅工廠製機型，設計上卻沿襲構造更為充裕的月神二號製E型骨架。不僅被看好日後能作為研發其他衍生機型的母體，實際上也確實造就多種衍生機型，其中之一正是被稱為RGM-79FP「吉姆打擊型」的機體。

從FP型的機型編號末尾字母可知，這是衍生自F型和FD型的機體。此乃一種以對MS格鬥戰為主的機體，因此為預防在貼近敵機過程中遭擊，機體各部位均設置了新型的反應裝甲「耐彈裝甲」。有別於著重於保護上半身的F型，其設置部位像FD型一樣遍及下半身。尤其是機體正面，連同設有駕駛艙和主機的「核心區塊」在內，整個身體和覆蓋各關節的裝甲均審慎地設置增裝裝甲，致力於在充滿危險性的近程戰鬥中提高生還率。

如此設計當然也會增加機體重量，不過即使全備重量達到76.3噸之多，卻也依循F型系的概念，積極強化推進系統。如推進背包就著重推力，設置了4具大型噴嘴；小腿肚也採用與SP型屬相同系統、擁有2具推進器的輔助推進裝置，因此成功獲得爆發性的加速力。不過這畢竟是靠著大推力強行推進頗具重量的機體，在戰鬥機動時也必須憑藉高度操縱技術來駕馭機體才行。另外，腿部關節所承受的負荷相當大，據相關證言所述，出擊次數只要達到一般C型的三分之二左右，該部位就必須更換零件才行。

如同前述，儘管相對有缺點存在，FP型卻也成功獲得出色的格鬥戰能力，只是多少受到完成時已是戰爭結束前夕的影響，本機型的生產數量實在稱不上多。有說法指出，戰爭期間製造的數量在20架以下，戰後也受到裁減軍備的趨勢影響，因此並未大量追加生產。

附帶一提，戰爭結束後亦有研發對針推進背包等推進裝置進行調整，屬於無重力環境規格的機體存在。進一步摸索本機型所蘊含的可能性後，得到的技術成果則是

Spec

規格

機型編號：RGM-79FP
頭頂高：18.0m
重量：50.2t
全備重量：76.3t
發動機輸出功率：1,250kW
推進器推力：92,000kg
裝甲材質：鈦合金陶瓷複合材質
武裝：100mm機關槍
光束雙尖槍
光束軍刀
60mm火神砲
帶刺護盾
鉗夾護盾

RGM-79FP 吉姆打擊型

RGM-79FP GM STRIKER

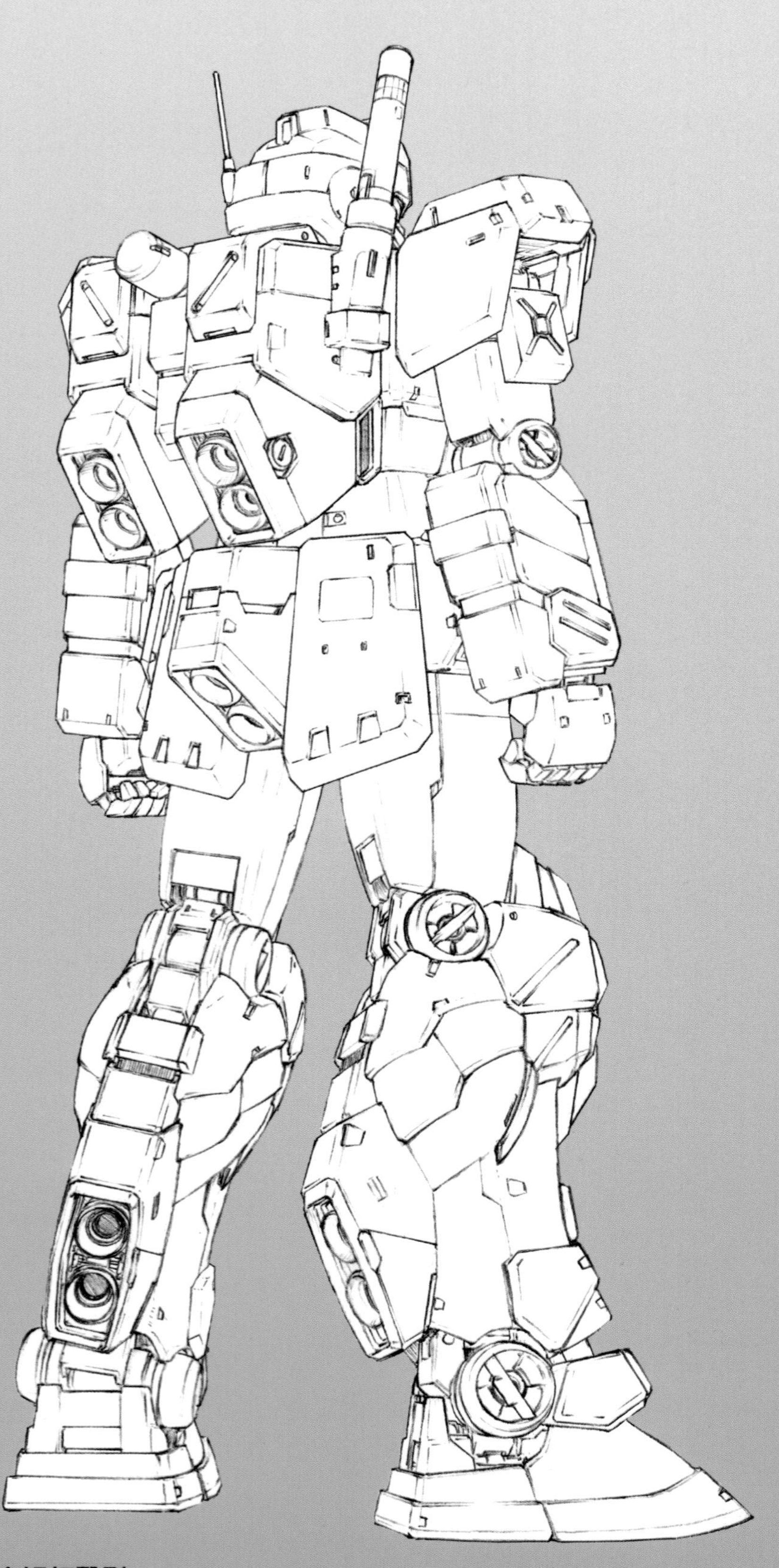

RGM-79FP 吉姆打擊型

RGM-79FP GM STRIKER

■RGM-79FP〈吉姆打擊型〉
賈布羅基地 MS教導團 復仇女神隊
勇治・有兼中尉座機

教導團會以部隊為單位，前往各處基地或駐屯地，並針對該地駐留部隊實施戰技訓練，可説是一種與全軍共享各方部隊個別所得戰訓和戰技的系統。因此該部隊成員不僅必須擁有高度技術，部署機體也被要求具備足以重現多樣化狀況的性能。即使是在同期生產的機體中，分發給復仇女神隊的「吉姆打擊型」，也足以稱為強化型，屬於經過特別調校的機體。

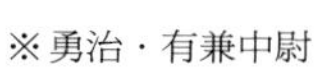
※勇治・有兼中尉

擁有加拿大自治州職業拳擊新人王賽前三強的另類經歷，志願從軍後接受MS駕駛員訓練，並分派至溫哥華基地。在半個月的期間內就經歷3次實戰，曾一瞬間擊墜4架MS。後來奉命轉調至教導團「復仇女神隊」，接著轉戰北美各地，不僅參與了加州基地攻防戰，更在一年戰爭中倖存。

由RX-81AS「吉萊突擊裝甲型」和RMS-179「吉姆Ⅱ簡易打擊型」等機體所繼承。

不過這些機體終究未能超脱試驗運用的範圍，發展系譜最後還是中斷了。畢竟戰後一路走向光束兵器全盛的時代，實體彈的耐彈裝甲在使用效益上必然會相對降低，因此會走上這條發展也是無可奈何的事。

RGM-79FP的運用實績

FP型第一批共製造13架，為了一併進行評估試驗，於是分散派發給多個有王牌級駕駛員所在部隊使用，這也是本機型經常被稱為「王牌駕駛員用機體」的經緯所在。其中最為著名的，就屬聯邦宇宙軍旗下教導團「復仇女神隊」的機體了。

「復仇女神隊」是為了讓在大戰後期陸續創設的MS部隊能提高運用熟練度，因而設立的教導部隊；亦基於這個目的，從各地廣泛招募王牌級人才。分發給該部隊的FP型主要是由勇治・有兼中尉※搭乘。除了原有的教育任務之外，亦須投入實戰，因此該機體在U.C.0079年11月至12月這短短兩個月期間就擊墜了20架以上的MS。附帶一提，「復仇女神隊」用機體在第一批中屬於特別調整過輸出功率，足以被稱為「強化型」的機體。

此外，亦有分發給非洲戰線和中亞方面，在各個激戰區域也都締造一定的戰果。舉例來説，在敖得薩作戰後轉戰非洲大陸的歐洲方面軍第六軍也領收3架FP型。而在往亞丁進軍的過程中，就有著共計擊墜8架MS的萊諾・普林斯少尉等王牌駕駛員輩出。

話雖如此，受到著重格鬥戰的機體特質影響，導致本機的中彈率比其他機型更高，撐不到戰爭結束就先行報廢的例子也為數不少。即使是前述的勇治・有兼中尉座機，亦是在不斷累積擊墜數的過程中反覆受到輕微、中度損傷，到了最後的加州基地攻防戰時，更是受到左臂全毀、右臂半毀的重創，陷入無法繼續進行戰鬥的狀態。就算是「生還率」方面的數值也實在稱不上好看，這也造成本機型在綜合評價方面並不高的結果。

在戰後有著醒目表現的，就屬分發給幽靈彗星隊的機體。U.C.0081年發生的吉翁殘黨占據紐約市事件中，已知羅布・哈特利中尉便是駕駛該機體參與相關行動。

RGM-79FP
吉姆打擊型

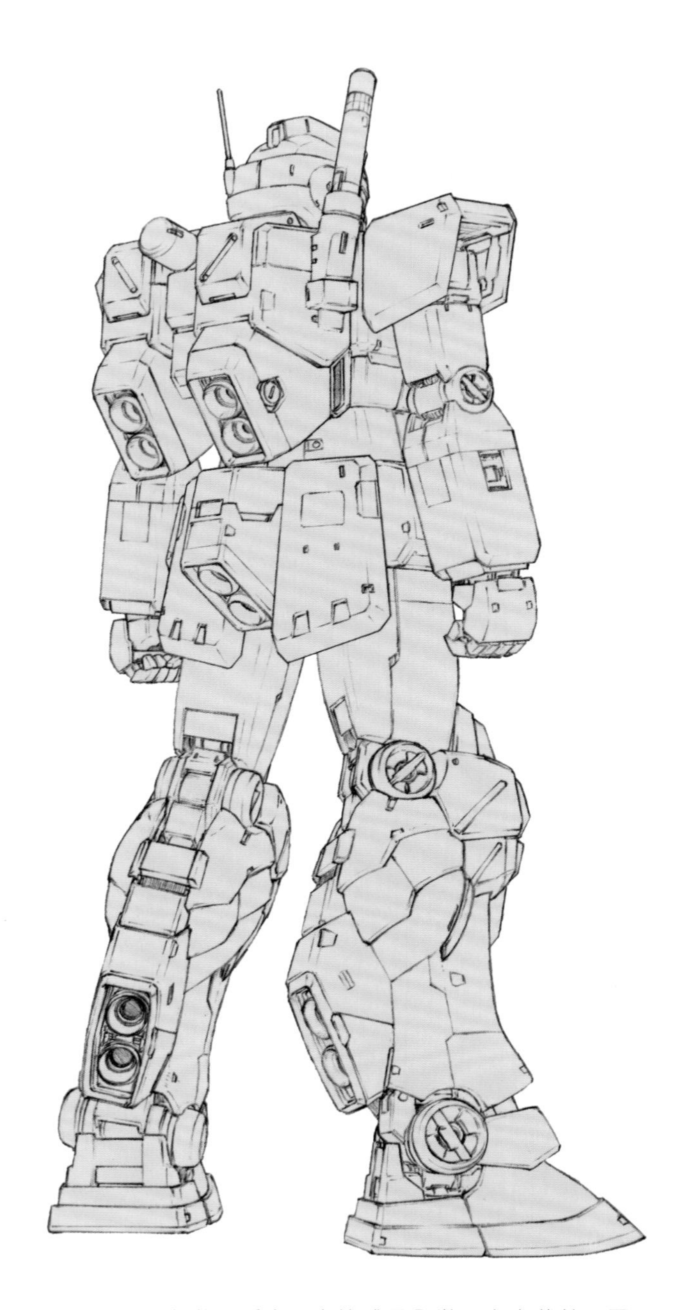

本機型是以大戰後期出廠的RGM-79C「吉姆改」為基礎，屬於吉姆改的衍生機型之一，為針對近接戰特化的機體。以次期主力機形式所研發誕生的C型，在骨架設計上原本就預留十足的擴充性，因此普遍被看好能儘早研發出衍生機型。其中非洲、中亞、歐洲等戰線的官兵，更是強烈期盼可以提升對MS格鬥戰的相關性能。他們的訴求包含不僅在接敵時能靠著增裝裝甲抵禦敵方砲火，還要可憑藉足以克服前述裝甲重量的相關大推力，發揮加速性能。在這兩種相反要求下取得均衡的機體也就此誕生。

頭部組件

雖然基本上是C型的外殼裝甲，卻也在不搭載太空用裝備的形式下重新進行設計。組裝時格外講究精確度的零件更是特別獨立出來，並且另行設置專用生產線，以便進行組裝作業。

頭頂部的主攝影機組件、額部，以及連同護頰在內的臉部，均設置了增裝裝甲加以保護。這類裝甲是參考F／FD型等機體的中彈狀況，分析相關數據後，另行設計成的獨特版本。主攝影機位於比原本更前方的位置，取代原先裝設於覆蓋式裝甲裡的追加裝備。設置該主攝影機處的裝甲不僅往左右兩側延伸，構成橋形外型，還銜接到耳部的冷卻口上。這組橋形裝甲內備有追蹤用感測器，該系統與鋼彈型的頭部攝影機相同，能夠靠著立體視覺辨識機能對目標物進行更正確的測距。由於頭部內部已撤除空間戰鬥用的裝備和火神砲，騰出了足夠的空間來設置這些增裝感測器所需的演算處理機材。憑藉著這組感測器的效能，就算敵機在極近距離內突兀地變更行進軌道，系統也不會追丟，能夠不偏不倚地持續追蹤動向。

透明護罩本身並沒有特別的更動，內部艤裝的感測器類在設置方式上也沒有大幅改變。護顎的裝甲厚度同樣沒有變化，護頰裝甲也以繞過頰部排氣口的形式，從臉部一路延伸至耳部冷卻口，藉此充分保護這一帶。附帶一提，頰部排氣口處還掛載了非爆炸式反應裝甲，並透過設置在中央的溝槽進行強制排氣。

這種為頭部組件正面設置的增裝裝甲多達75%，有著與其他增裝裝甲系吉姆家族或是全裝甲方案截然不同的概念。這一點與本機型胸部外殼設置的增裝裝甲為爆炸式反應裝甲密切相關，顯然是為了避免中彈時的爆炸碎片造成影響。事實上，也確實有幾起機體本身的反應裝甲炸開之後，反而造成透明護罩受損的案例。

胸部組件

這部分以駕駛艙一帶為中心，為C型外殼設置了屬於爆炸式反應裝甲的耐彈裝甲。這些增裝裝甲在設置方式上，是以針對RX-78「鋼彈」所試作、規劃的「全裝甲方案」為基準，可以明顯看出與該方案之間的相似性。這些增裝裝甲原本是打算套用在RX-78-4等機體上，作為「替日後量產機進行各種測試」所使用的裝備。由

RGM-79FP 吉姆打擊型（未裝設增裝裝甲）

RGM-79 FP (STRIP)

■圖中為RGM-79FP「吉姆打擊型」卸下增裝裝甲時的狀態。由於研發母體為月神2號工廠製的C型，在外觀上確實給人兩者十分相似的印象。

此獲得的相關資訊，諸如耐彈性係數等情報數據，則是會在整個賈布羅工廠內共享，這或許就是最明確的例子之一。

駕駛艙門設計成分割式構造，而且上側艙蓋採固定式設計，開啟時只有主艙蓋可暫時往下掀開。主艙蓋的正面裝甲厚度達80公釐，該處也為此設置了高扭力的促動器，以供艙蓋開闔使用。附帶一提，該上側艙蓋設計其實還可發揮配重機能。由於上側艙蓋的設置位置稍微偏離了機體重心的穩定軸線上，這額外的重量令機體處於不平衡的狀態，如此一來，在搭配駕馭操控利用噴進器噴嘴進行衝刺或跳躍時，即可使包含一連串姿勢變化的大幅度動作之間轉換得更加流暢。不僅如此，若是進一步搭配在機體各部位增設的姿勢控制推進器，那麼在進行肉搏戰之際更是能發揮極大的優勢。

雖然搭載的發動機並沒有更動，胸部主散熱口卻也增設冷卻用機材。畢竟除了備有推力經過增強的主推進器之外，臀部也增設有推進器，因此相應加強冷卻機構也就成了理所當然的事情。

為了因應內含核融合爐與駕駛艙等機構的腹部一帶遭受直接攻擊（狙擊）等狀況，腹部裝甲以不會干涉到可動性為前提，分別為上方、下方的各區塊正面增設有60公釐厚的裝甲。

腰部區塊

與身體相同，腰部部分正面也集中設置增裝裝甲。下側框架正面的凸起部位配合整體形狀，設置三片式耐彈

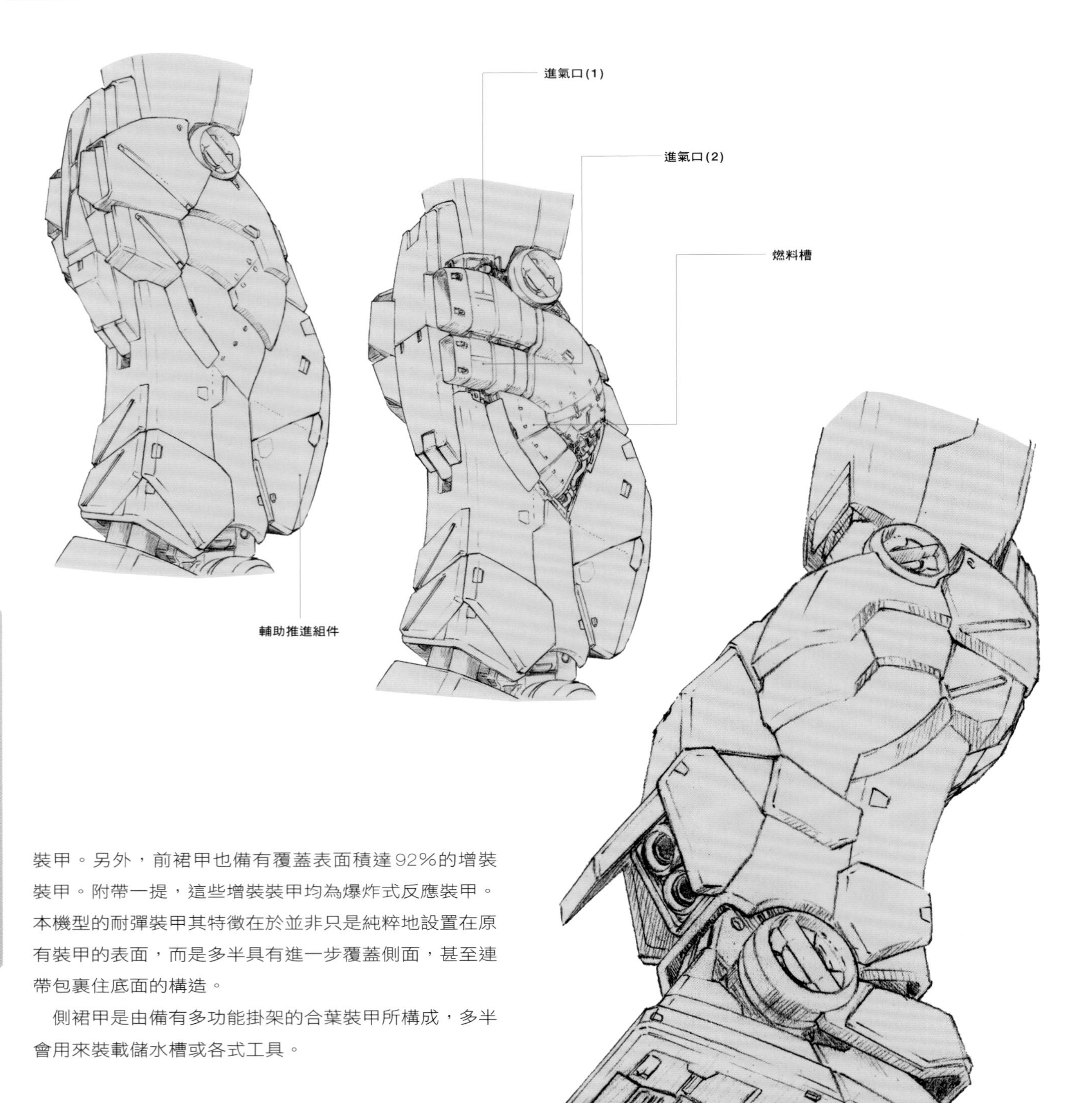

裝甲。另外，前裙甲也備有覆蓋表面積達92%的增裝裝甲。附帶一提，這些增裝裝甲均為爆炸式反應裝甲。本機型的耐彈裝甲其特徵在於並非只是純粹地設置在原有裝甲的表面，而是多半具有進一步覆蓋側面，甚至連帶包裹住底面的構造。

側裙甲是由備有多功能掛架的合葉裝甲所構成，多半會用來裝載儲水槽或各式工具。

推進背包

由於背面掛架上設有連接機構，因此可裝設與RGM-79FD共通的重力環境規格推進背包。

臂部／機械手

肩甲的正面設有爆炸式反應裝甲，頂面也設有非爆炸式反應裝甲，但背面基本上並未設置任何增裝裝甲。這是基於一旦反應裝甲在中彈時爆炸，可能會連帶令推進背包和腿部的推進組件受損的考量。和駕駛艙的上側艙蓋一樣，肩甲頂面增裝裝甲也能發揮配重的機能。附帶

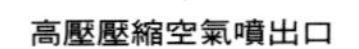

■RGM-79FP〈吉姆打擊型〉
#T02 北美漢米頓基地 第5獨立試驗MS中隊

分發給北美漢米頓基地MS試驗中隊的1號機，主要進行基本性能和各種武裝等試驗，亦曾數度投入與公國軍MS交手的實戰中。儘管交給了具有相當實戰經驗的上尉駕駛，但畢竟是針對近接戰鬥特化的特殊規格機體，即便基本性能相當優秀，卻也未能締造顯著的戰果。後來根據其數據資料，進一步研發出強化型機體。

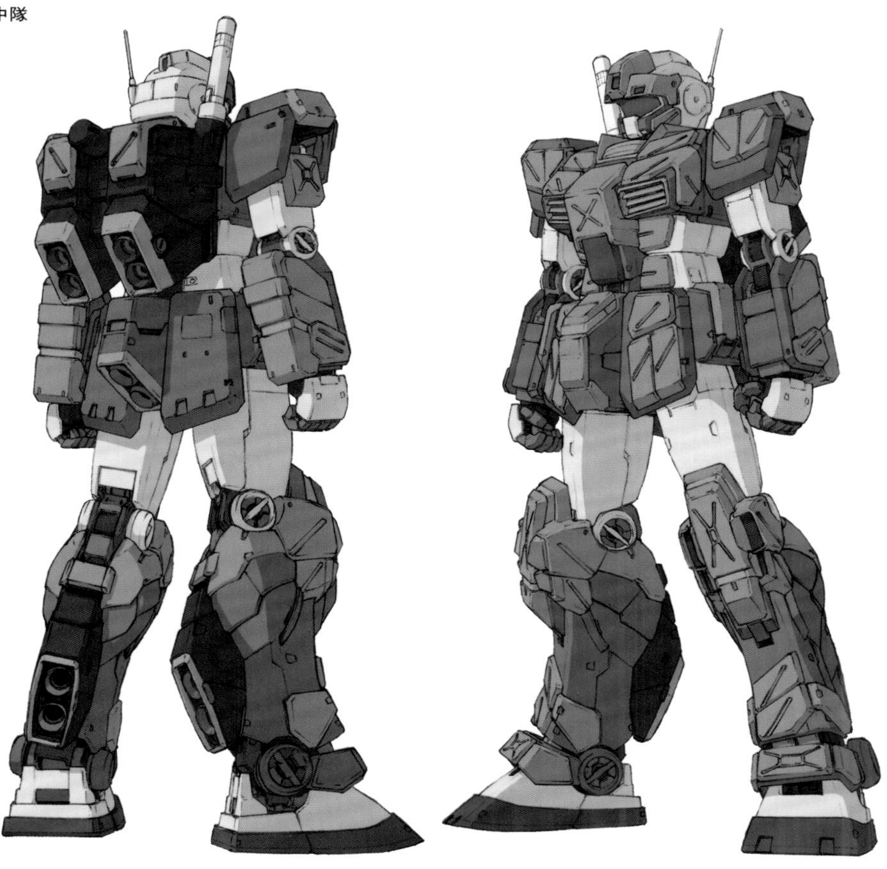

一提，其實亦有駕駛員留下反過來利用肩甲正面耐彈裝甲的爆炸力，藉此在戰鬥中施展「肩部攻擊」的具體紀錄。就槍載攝影機的紀錄來看，該攻勢擊中了敵方MS的左胸部，使得敵機的左臂連接基座受損而無法繼續戰鬥。不過當時該架「吉姆打擊型」亦受到肩甲全毀，且驅動系零件受損達25%的傷害，以交換比來說實在稱不上是好看的數值。用不著多說，若是面臨數架敵機在場的局面，在接下來的戰鬥中勢必得承擔更大的風險，因此並不建議積極地使用這種戰鬥手法。

由於使用的主要武裝為光束軍刀、光束雙尖槍、光束戟等裝備，因此前臂處增裝裝甲在手腕一帶的設置上，也將配重納入設計考量。作為重量增加的對策，關節部位當然也配合施加強化修改。例如肘關節處的環狀結構，在製造成形時就將厚度增加8%；至於驅動用力場馬達，也採用屬於高扭力規格的m680-ae5型號。以備有重裝甲而聞名的「沙漠型吉姆」，亦是採用該型號的肘關節機構。

腿部組件

和RGM-79FD「裝甲強化型吉姆」相仿，雖然還不到足以稱為氣墊行進機能的程度，不過由於備有推進背包的四具主推進器、下側框架臀部處的兩具輔助推進器，以及左右小腿肚處各二具的輔助推進噴嘴，足以發揮驚人的瞬間爆發力。

如果要裝設輔助推進組件，首先必須為C型的小腿更換專用骨架才行。因此該輔助推進組件並未納入前線修改套件之中，畢竟也唯有在足以執行更換骨架、設置調校、推力偏轉調整，以及燃燒測試等作業的大規模設施裡，才有辦法進行這類改裝。何況就分發本機型的原則來說，本來就是以交給在近接戰鬥這種特殊情況下可發揮最大效能的駕駛員使用為優先條件，賈布羅工廠自然也從未授權製造相關的前線修改套件。也就是說，本機型的設計思想與FD型不同，打從一開始就將輔助推進組件納入了腿部的設計，未曾將排除該組件的運用狀況列入考量。換句話說，此種輔助推進組件並非可在前線

CAUTION/MODEX : RGM-79FP

RGM-79FP 警示標誌／識別編號

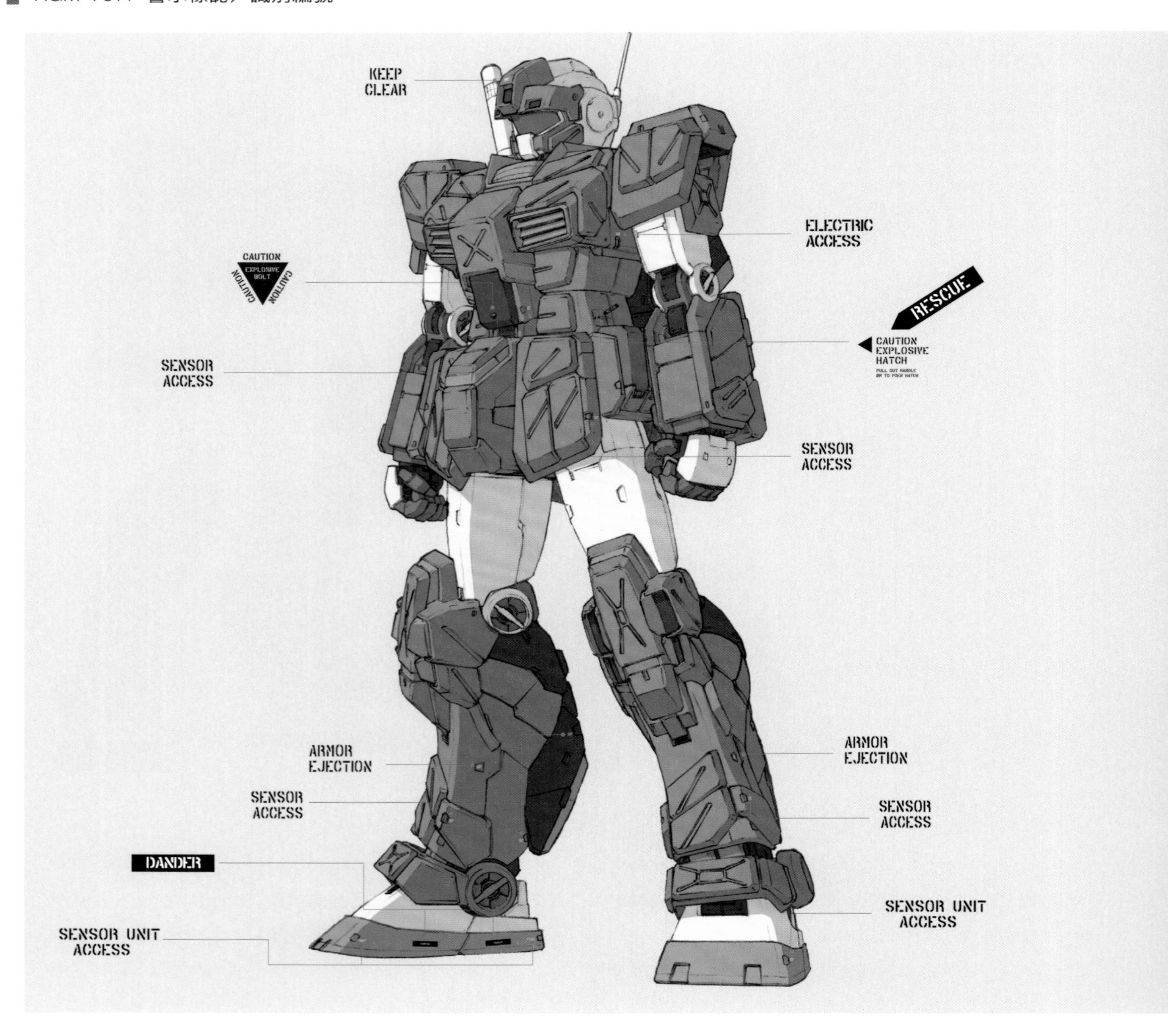

「增裝」的裝備。

小腿後側的增裝推進器組件與FD型採用同型號的機材，膝裝甲兩側的進氣口為縱列式構造，藉此增加空氣流入量。考量到空氣阻力，壓縮機採用可收納於小腿肚處隆起結構的形式，不過在功率方面並沒有更動。之所以採用縱列式構造，理由在於若是設計成單一的縱向開口，該處的強度會比較差，一旦遭到橫向的衝擊，進氣口就難以維持構造的完整性。雖然亦有試作採內部設有補強支架的單一縱向開口零件，但最後仍得到縱列式構造在強度上較為有利的結論，也就因此採用該設計。

在小腿肚下方的空間裡亦設有燃料槽。進氣口在入口處則是設有往前方凸出的交界層隔板，藉此發揮可流暢吸入空氣的機能。進氣口內部亦設有可供避免吸入雜物的濾網，不過原則上每隔150小時就要清理一次，使用約800小時便需要整個淘汰更換。

小腿肚外殼處的增裝裝甲，採用由下往上逐層罩住的設計，各層交疊處也設有溝槽，以便供壓縮機排出的熱氣能夠部分從此機構排放。另外，整備時只要將位於第二層與第三層的外殼藉由曲柄合葉掀開，即可更換設置於該處的燃料槽，用不著將整個外殼裝甲都卸下。

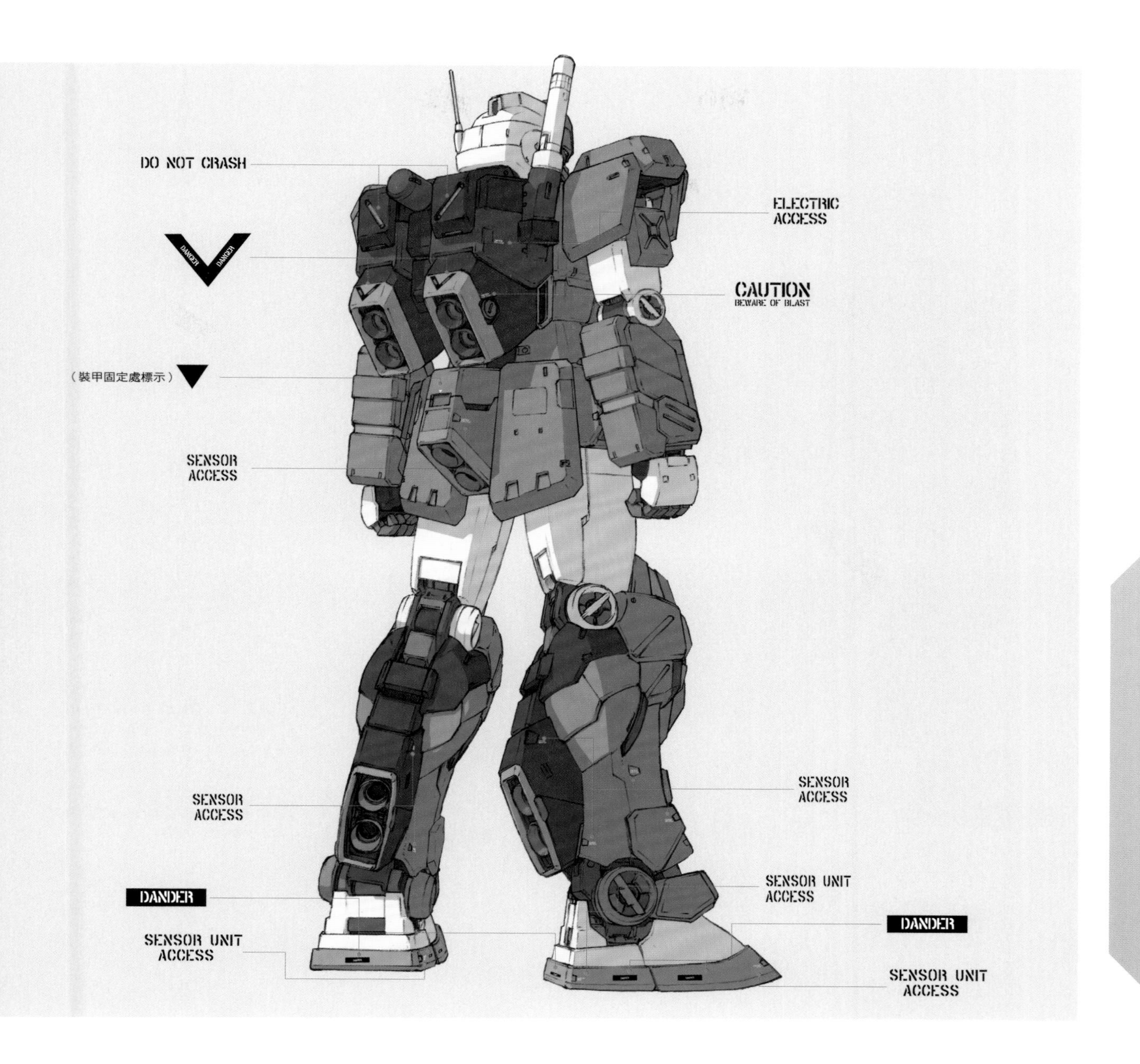

縱列式推進噴嘴具有能夠往下8度、往上18度、往左右兩側各5度擺動的機能，可藉此控制推力軸線。另外，只要小腿組件搭配調整動作幅度，即可自由地調整機動行進方向。不過即使在操作上存在個人差異，駕駛員至少也需要240小時的熟習操作訓練才行。換句話說，就算使用操作支援程式，其實也依舊相當考驗駕駛員個人的技術和資質。

膝蓋正面的耐彈裝甲，可藉由設置在下側的肘樞關節掀開，以便對內層裝甲和骨架進行整備。

小腿下側備有從正面延伸至左右兩側的耐彈裝甲，踝護甲處亦設有由正面和左右兩側構成的三片式耐彈裝甲。考量到踝關節組件必須全面負荷這些增裝裝甲的重量，這一帶的緩衝機構和凸緣也均經過強化。雖然踝關節的可動範圍因此減少了6.2%，不過據判斷並不會對機體控制造成太大的影響。

RGM-79FC
打擊特裝型

■RGM-79FC「打擊特裝型」留下的相關資料中，這是最常見的機體配色模式。這架機體原本就有為了在視覺＆心理上給予對手壓力，而特地採用鋼彈型頭部；之所以施加以白色為基調的塗裝，顯然也是出自該想法的一環。

基於地球聯邦政府和吉翁共和國雙方的停戰共識，一年戰爭在U.C.0080年宣告結束。然而不分地球內外，仍有公國軍的殘黨勢力在各地持續頑強抵抗，造成許多犧牲，這點正如相關歷史資料所述。運用大戰中投入的MS進行恐怖攻擊更是成了一大問題。就算是僅有數名成員的小規模組織，光是持有一架MS就足以令威脅性大幅倍增。但令人遺憾的是，戰後地球圈仍殘留著為數龐大的MS。

但是反過來說，只要能減少這類反政府勢力所持有的MS數量，即可有效削弱這類組織的實力。因此就各地前線部隊負責維持治安的立場來說，希望取得針對MS格鬥戰特化的次世代機體這類呼聲會水漲船高，其實也就成了理所當然。

話雖如此，聯邦軍在戰後陷入裁減軍備的暴風中，就連視為首要目標的RX-81計畫實質上也被迫中止，全新研發計畫想要成案可說是難上加難。因此也就提出以大戰期間獲得一定評價的格鬥戰機型RGM-79FP「吉姆打擊型」為基礎，施加改良作為替代研發次世代格鬥戰機型的妥協方案。

經由搭載空間戰裝備，為陸戰機型的FP型擴充通用性。仰賴新型推進背包增加總推力之餘，亦搭載原本供RGM-79G系列機型使用的高輸出功率發動機，確保光束兵器能夠穩定運作。不僅如此，還利用可作為新型兵裝測試平台作為交換條件這點，成功說服軍方高層。後來這個計畫成功獲得核可，並且賦予RGM-79FC這組機型編號。

RGM-79FC「打擊特裝型」正是在前述經緯下進行研發，備有應用了電熱鞭技術的電力兵器「電擊指虎」、屬於吸附式炸彈的「爆裂指虎」，以及可供組裝成雙頭薙刀狀使用的「雙重光束軍刀」等獨創武裝。亦有說法指出，與新人類研究相關的特殊系統也在該計畫當中，但這方面並未留下足以作為明確佐證的資料。

Spec

規格

機型編號：RGM-79FC
頭頂高：18.0m
重量：50.2t（45.2t）
全備重量：76.3t
發動機輸出功率：1,380kW
推進器推力：94,000kg
裝甲材質：鈦合金陶瓷複合材質
武裝：光束軍刀×2
頭部火神砲
電擊指虎×2
爆裂指虎×2
指虎短刀×2
雙重光束軍刀
帶刺護盾改
100mm機關槍

RGM-79FC 打擊特裝型

RGM-79FC STRIKER CUSTOM

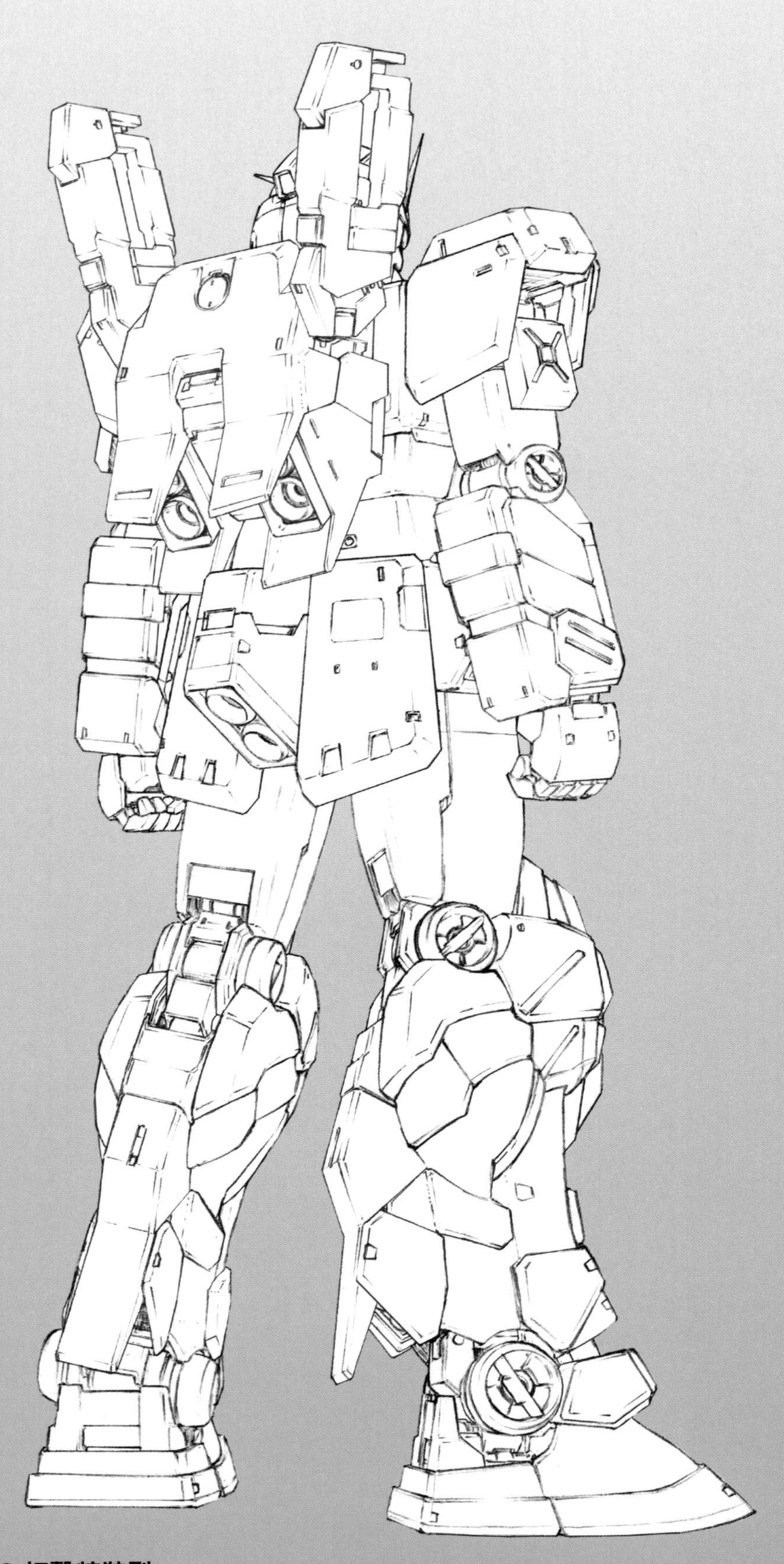

RGM-79FC 打擊特裝型

RGM-79FC STRIKER CUSTOM

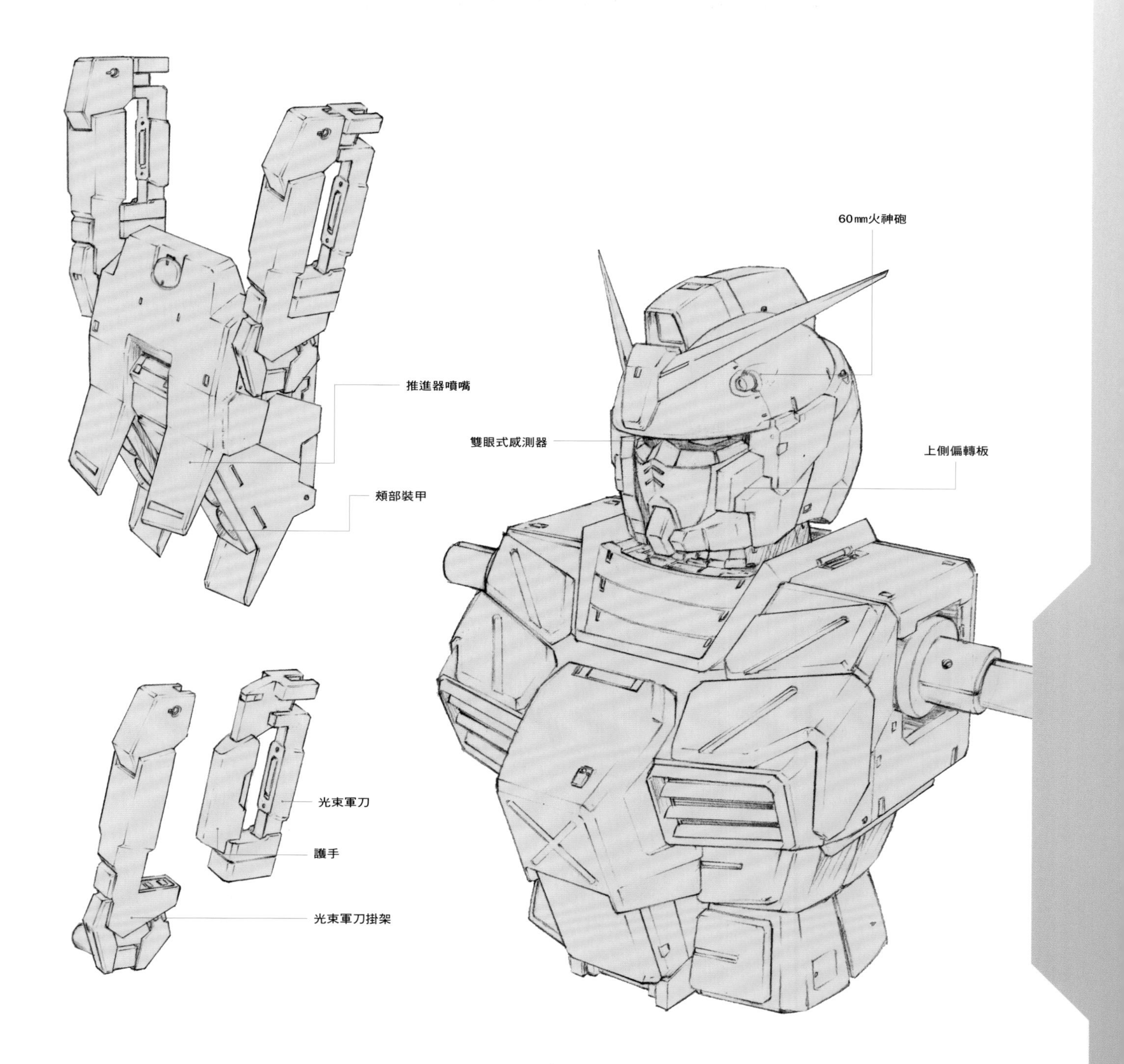

外觀更動之處，是在於機體各部位增設姿勢控制推進器、空間戰鬥用高機動推進背包和腿部組件，以及採用雙眼式感測器的頭部，亦即俗稱的「鋼彈頭」。

不僅這個機型，在格里普斯戰役前後從事研究的新人類相關技術，其實都籠罩在以高度機密為名的神祕面紗下，絕大部分都無從研討查證，尤其被責難使用不人道手段進行研究的強化人相關技術更是如此。為了避免遭到法律制裁，許多相關人士均自行銷毀了資料，可說是陷入「青史盡成灰」的局面。

附帶一提，本機型自U.C.0084年起僅僅少量製造數架，而且留下曾分發給聯邦軍對破壞工作特種搜查旅「BGST」等部隊使用的紀錄。

頭部組件

本機型的首要特徵，在於備有雙眼式感測器——亦即採用鋼彈頭。這是因為屬於重力環境下規格的「吉姆打擊型」，在額部橋形裝甲處增設並列追蹤系統，而該系統就運用效能來說與雙眼型感測器同等級，所以才會選用這種頭部。況且與敵機於近距離進行高機動戰鬥時，雙眼型感測器在測距方面也比並列感測器的三角測量更為準確；再加上以鋼彈頭這種備有指向性雷達的雙眼型系統來說，在特殊環境下進行戰鬥的效能也獲得高度肯

CAUTION/MODEX : RGM-79FC

RGM-79FC 警示標誌／識別編號

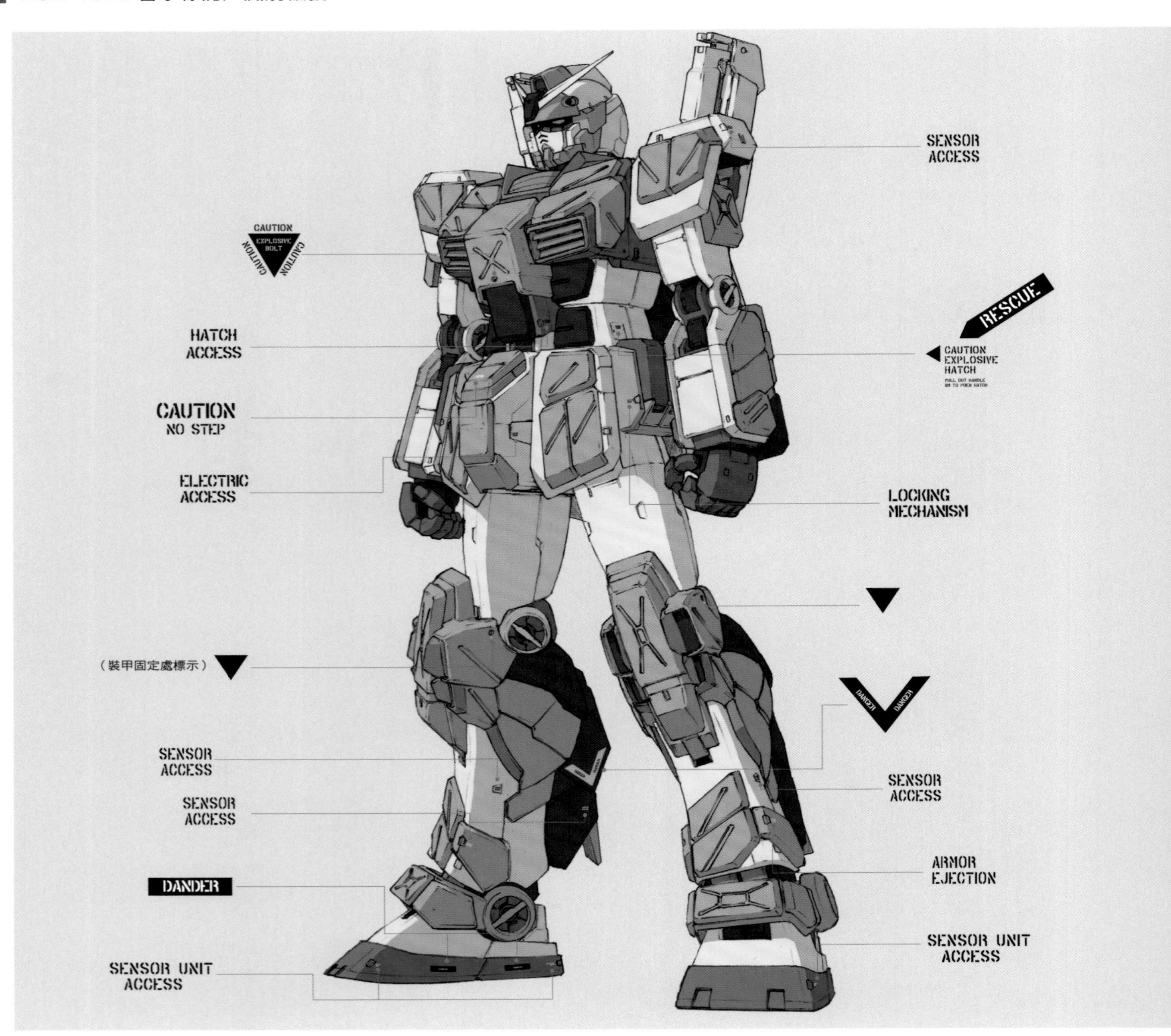

定。另外，鋼彈頭能夠對敵機造成相當大的心理影響，這顯然也是選擇採用的理由之一。

此外，臉部還增設了屬於非爆炸式反應裝甲的頰部裝甲，連同內藏前方探測雷達的護顎、臉部側面的太陽穴護甲在內，構成以鋼彈型來說相當罕見的粗獷輪廓。

雖然同樣搭載60毫米火神砲，不過受到頭部骨架內增設冷卻組件的影響，導致裝彈數量上有所限制。

推進背包

推進背包是根據空間戰鬥規格而全新設計，與其他吉姆家族採用的結構可說是截然不同，有著由幾何學線條構成的獨特形狀與風格。主推進器是以重力環境下規格的主機為基礎，左右兩側各設有兩具推進器噴嘴，並且固定為朝下30度的方向。噴嘴本身能進行往上15度、往下8度，以及左右各4度的擺動，可藉此偏轉推力方向。推進器上下兩側均設有偏轉板，目的在於將推力擴散幅度控制在最小範圍內。附帶一提，左右連為一體的上側偏轉板，最多能夠向上掀起至8度。

至於固定武裝方面，則配有設置在專用指虎上的光束軍刀共兩柄，以及應用吉翁公國軍電熱鞭系統的毆擊兵器（俗稱電擊指虎）這種近接戰鬥用兵裝，這部分則是裝設在連結左右兩側動力管線的武裝掛架之上。附帶一

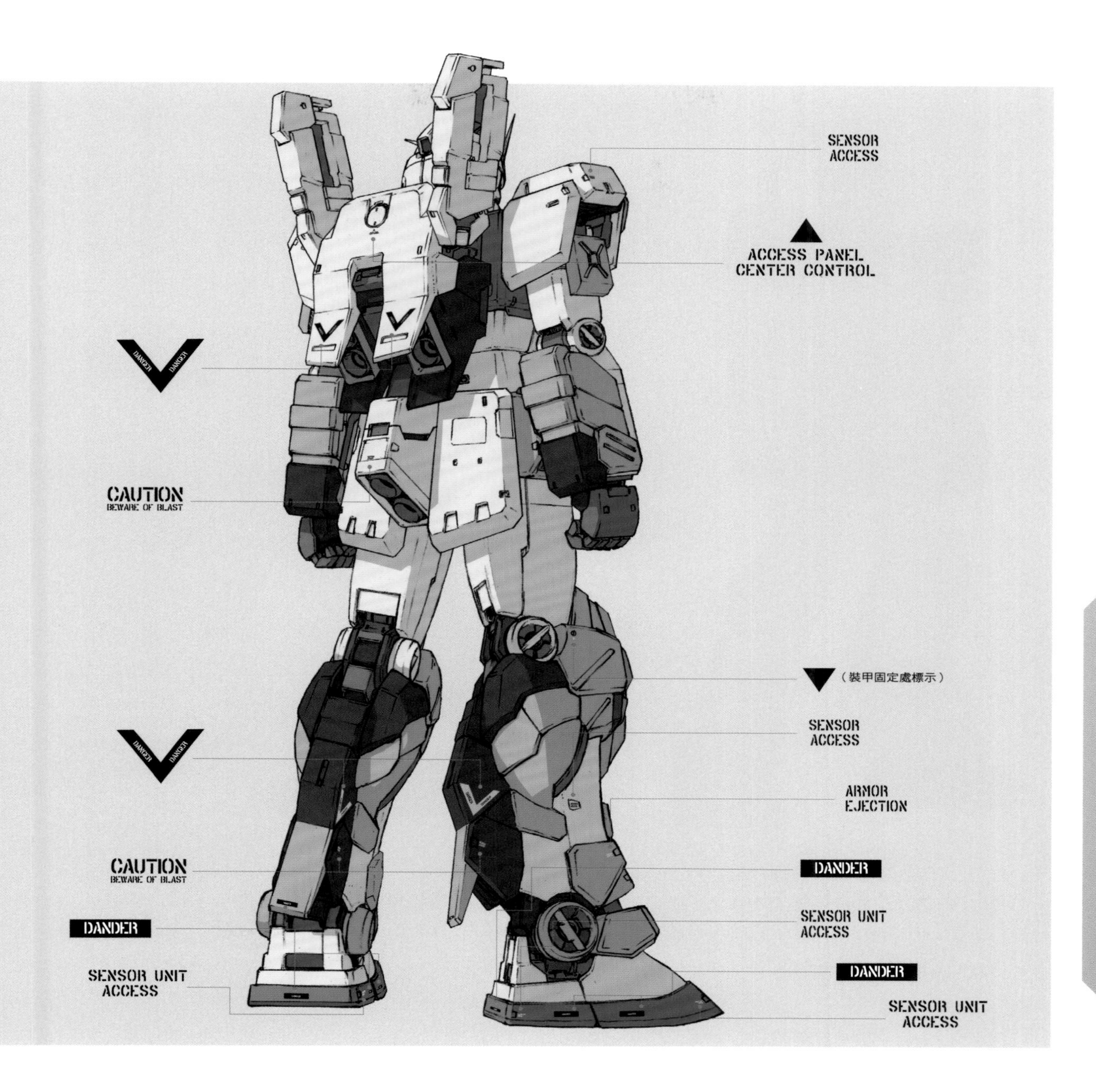

提，中央武裝掛架能用來裝設屬於選配式裝備的增裝燃料槽。

腿部組件

同樣是以重力環境下規格的推進器組件為基礎構成，這點和推進背包相同。主機在維持原有機能的情況下，將推進器的噴嘴重新設計成容易集中在推力軸線上的形狀。就結果來説，雖然噴嘴的直徑縮小，經由噴嘴輸出的推力卻也提高了。

這種推進器組件亦是固定為朝下30度的方向，同時也配備偏轉板。偏轉板本身最多能向上掀起5度，藉此控制推力軸線的方向，但一般來説是以固定在最小展開幅度為原則。附帶一提，偏轉板內還增設冷卻裝置，以便從中央溝槽處強制散熱。

FP型在膝裝甲左右兩側設有反向噴射器，由於這組裝備在提升機動性方面獲得一定程度的評價，因此也連同進氣口一併持續搭載。雖然隨著裝甲形狀的變更，導致膝蓋後方輔助進氣口的吸氣效率變差了，不過這部分照依然能發揮原有的機能。為了在小腿肚左右兩側增設燃料槽，該處的外殼裝甲形狀亦經過重新設計。

RGM-79S
吉姆精兵型

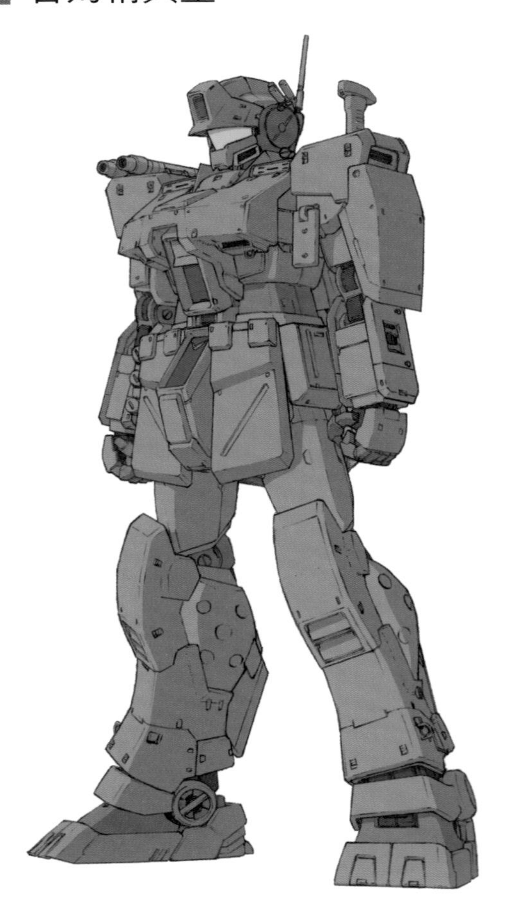

■RGM-79S「吉姆精兵型」的標準配色。該配色可在熱帶與亞熱帶的叢林戰中發揮高度迷彩效果。不僅如此，這個機型有時也會套著以芳綸纖維（芳香族聚醯胺纖維）製的偽裝罩加以運用。

如同前述，RGM-79FP是由賈布羅工廠製造的次世代通用規格機，也就是C型的衍生機型。相對於此，接下來要介紹為奧古斯塔工廠製的高性能機，亦即G型施加重裝甲修改而成的機型。

在運用G／GS型系骨架製造的衍生機型當中，最為知名的機型就屬RGM-79SP「吉姆狙擊型Ⅱ」了。該機型是以大戰後期完成度最高的G型作為母體，概念上則套用自基於RGM-79系全面提升性能計畫所研發出的SC型（亦即「吉姆狙擊特裝型」)。SP型同樣經由強化裝甲和推力（發動機輸出功率和感測器類機材當然也經過大幅度的更動），達成提升戰鬥能力的目標，這點和F型的系譜可說是幾分類似。不過相當於SP型雛形的機型，其實早在這之前就已經進入實際運用階段，這件事倒是罕為人知。

該機型正是被命名為RGM-79S「吉姆精兵型」的機體。S型乃是著眼於在亞熱帶運用，而從G型系列衍生的機體，起初是從奧古斯塔工廠調度數架分量的G型系骨架，並且設置在外形上與日後SP型很相似的增裝裝甲，更配備高輸出型的推進背包，藉此解決重量增加的問題，可說是施加了和F型相同的修改。考量下半身通常會被熱帶樹木遮擋的狀況，增設裝甲也就集中於胸部和肩部所在的上半身，這方面也和F型一樣。

不僅如此，針對近接戰鬥所需，S型機體還採用電熱短刀和泛光燈等獨特的裝備。另外，為了提高匿蹤性，更嘗試性地配備了紅外線遮擋罩、煙幕彈發射器，以及簡易的米諾夫斯基粒子散布莢艙。就後面這幾項增裝裝備來說，著重於實驗研究的性質可能較為濃厚，因此就實用性方面仍然令人存疑。不過這一點也可以說是當時聯邦軍兵器研發局在試誤過程中所留下的軌跡，其實也頗令人好奇呢。

總之，S型嘗試性地採用增設裝甲和強化推力這類方案後，成果大致來說都很不錯，於是後續研發的SP型也近乎整個沿襲了這個形式。不過增裝裝甲並未採用著重於防禦實體彈的反應裝甲這點值得注目。

Spec

規格

機型編號：RGM-79S
頭頂高：18.0m
重量：43.6t
全備重量：61.7t
發動機輸出功率：1,250kW
推進器推力：67,800kg
裝甲材質：鈦合金陶瓷複合材質
武裝：專用手槍（格林機槍）
電熱短刀
肩部吊掛式短盾
煙幕彈發射器
WAMM（線控式反MS飛彈）
紅外線遮擋罩
M粒子散布莢艙

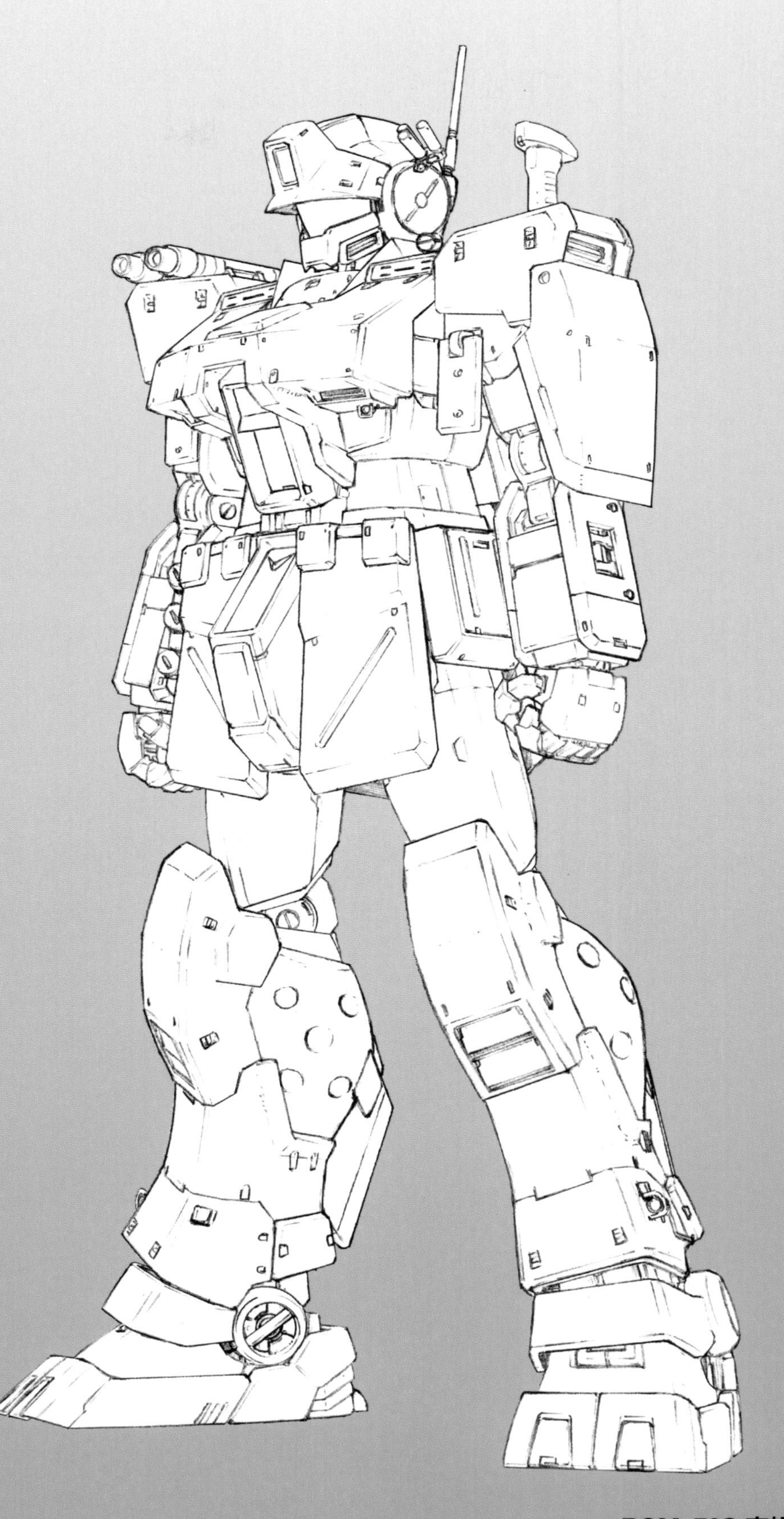

RGM-79S 吉姆精兵型

RGM-79S GM SPARTAN

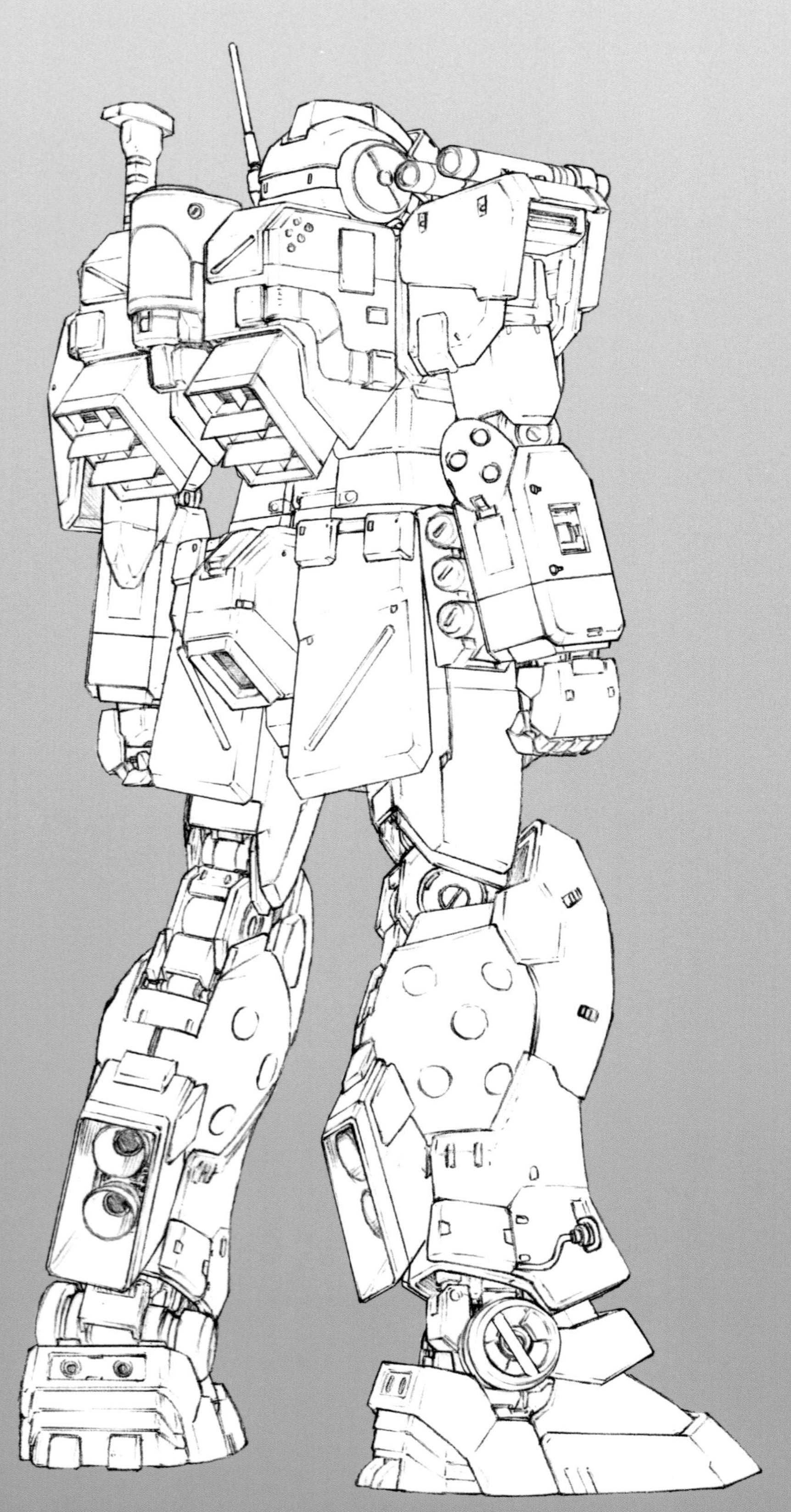

RGM-79S 吉姆精兵型

RGM-79S GM SPARTAN

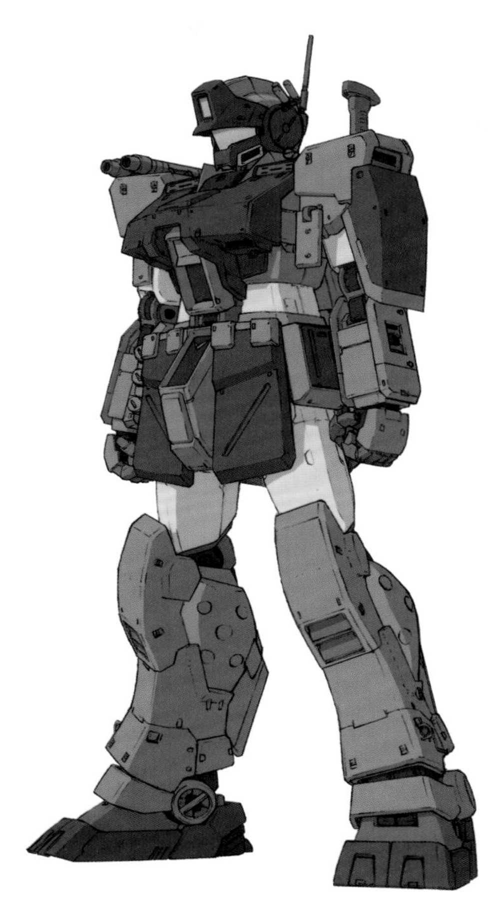

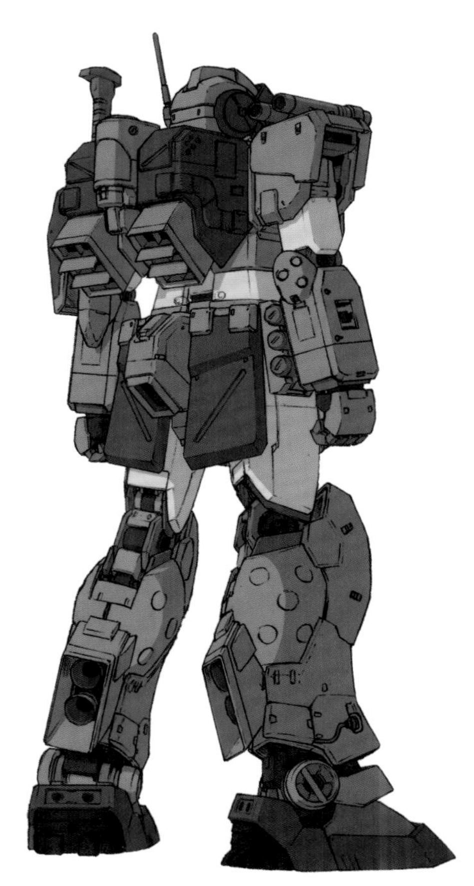

■一年戰爭後期完成實戰部署的RGM-79S「吉姆精兵型」中，於U.C.0079年12月出廠的其中一架。這架機體在部署至北美到戰爭結束的這段期間內，留下了「擊墜」MS-06S「薩克II」和MS-09「德姆」等共計達5架機體的紀錄。亦有未經證實的情報指出，該機體疑似在格里普斯戰役期間加入卡拉巴的部隊，並參與作戰行動。儘管在該時間點已是舊式機型，卻仍是相當寶貴的戰力，更有著不遜於其他MS的活躍表現。

相對於由賈布羅工廠發展出的F型系列機體都是直接設置反應裝甲，奧古斯塔工廠的機體雖然採用了一般裝甲材質，在裝甲形狀上卻也經過一番精心規劃，表面積極營造出易於跳彈的角度（傾斜裝甲）。奧古斯塔工廠當然也把反應裝甲套用在MS上進行過一番研究，不過他們純粹是將這類裝甲視為可裝卸的選配式裝備。奧古斯塔工廠製試作機RX-78NT-1鋼彈「亞雷克斯」（以下稱為RX-78NT-1「亞雷克斯」）實驗性地採用的「複合裝甲」正是代表例子。畢竟接下來MS用攜行火器將朝往光束兵器的方向發展，這是當時許多奧古斯塔工廠旗下研究人員都已預見的趨勢，才會僅將反應裝甲視為可因應作戰需求選用的裝備。

RGM-79S的運用實績

S型是著眼於亞熱帶地區這類特定地帶運用而研發，出廠後也送往賈布羅總部基地進行評估試驗。在高溫潮溼的亞馬遜熱帶雨林中確認基礎項目的運作狀況後，又進行些許調整，這才開始限量生產。製造完成的機體則是絕大多數都分發至亞洲方面。

就現今尚存的少數紀錄來看，在U.C.0079年11月底這個時間點，部署於亞洲方面的第十七機甲海軍陸戰師至少獲得分發3架S型。該師麾下的第二特種小隊領收其中一架後，在12月時為了支援汶萊方面的反攻作戰，於是挺進亞熱帶森林地區，並在亞庇和汶萊之間展開威力偵察。後來該小隊也發現了公國軍的運輸部隊並予以擊潰，截斷敵方的補給線，成功地發揮擾亂後方的效果。在該部隊的活躍表現下，聯邦軍奪回了加里曼丹島，接著更陸續把公國軍逐出東南亞各島。

雖然本機型並未締造十分醒目的戰果，卻也為MS這種新兵器在適應亞熱帶叢林等環境的運用方面開拓出嶄新的道路，這部分倒是值得肯定。經由第十七機甲海軍陸戰師取得相關運用資料後，得以大幅改善步行程式在森林地帶這類踏腳處較崎嶇的地區的運作狀況，在日後研發的MS控制系統上亦發揮了效果。

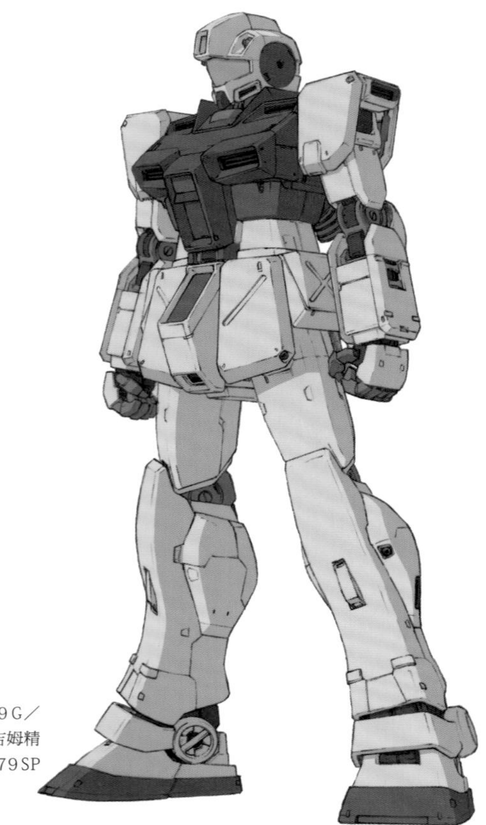

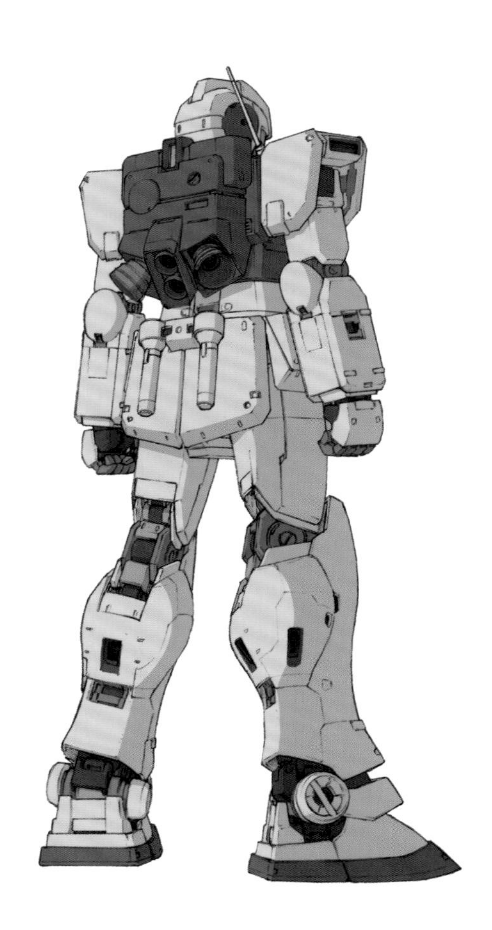

■RGM-79G〈吉姆突擊型〉
一年戰爭後期登場的RGM-79G／GS系列機型中，RGM-79S「吉姆精兵型」可說是直接成為RGM-79SP「吉姆狙擊型Ⅱ」的藍本。

RGM-79S
吉姆精兵型

頭部組件

S型是以G型為基礎，因此主攝影機基本採用可沿著滑軌移動的單眼式機構。對於著重近接戰用途而展開研發的本機型來說，採用可監控範圍更廣、對目標也具備更高從動性的單眼式機構，確實也是最佳的選擇。

額部設有罩住主感測器的覆蓋式裝甲，這部分是由從增裝主攝影機延伸至「耳部」裝甲的單片式橋形裝甲所構成。由於該裝甲會嚴重干涉砲口射線，因此頭部並未搭載火神砲。在未配備火神砲的情況下，耳部裝甲也就採用了較簡潔的圓筒形裝甲。此裝甲中央處設有多功能連接掛架，可供設置火神砲莢艙之類的外掛式兵裝。臉部正面至頰部處，備有15公釐厚的單片式護頰裝甲。為了避免該處中彈時對主攝影機等感測器材造成破壞，特別使用非爆炸式反應裝甲。「耳部」裝甲外框的上側掛載有煙幕彈發射器，該裝備能夠在左右兩側設置，或是僅裝設於其中一側。省略火神砲，使頭部內框得以騰出些許空間，便改用來裝設指向性通信機和冷卻裝置；至於頭部組件的左後方則是裝設通信用桿形天線。

胸部組件

考量到在叢林之類地區待命時，必須盡可能避免被上空飛行的偵察機等敵機以熱源感測器偵測到，本機型顯然需要足以對應這類情況的胸部裝甲。因此特別針對在MS運作時極為重要，司掌蓄熱＆散熱功能的胸部主散熱口，即設計有專屬裝甲加以遮擋。這組胸部裝甲的造型較為複雜，不僅大幅覆蓋了正面，就連駕駛艙蓋的側面也有高達72%的面積一併被遮擋住。該裝甲內框裡設有可供先行冷卻從主散熱口排出的熱量，並且將其中一部分從胸部裝甲下側散熱口排出的冷卻裝置。另外，有別於從肩頭進氣口重新吸氣以冷卻引擎主機的管道，還有一部分會經由旁通管道，排往位於主噴嘴外圍的溝槽，確保能在降低溫度的狀況下排出。這種經過精心規劃的冷卻裝置成功奏效，從未發生過機體散熱失控導致對主機造成影響的案例。

雖然駕駛艙蓋依然維持G／GS型的原樣，不過艙蓋的左右兩側、腹部裝甲的正面上側均掛載25公釐厚的裝甲。比起純粹的防彈機能，這部分其實更著重於降低

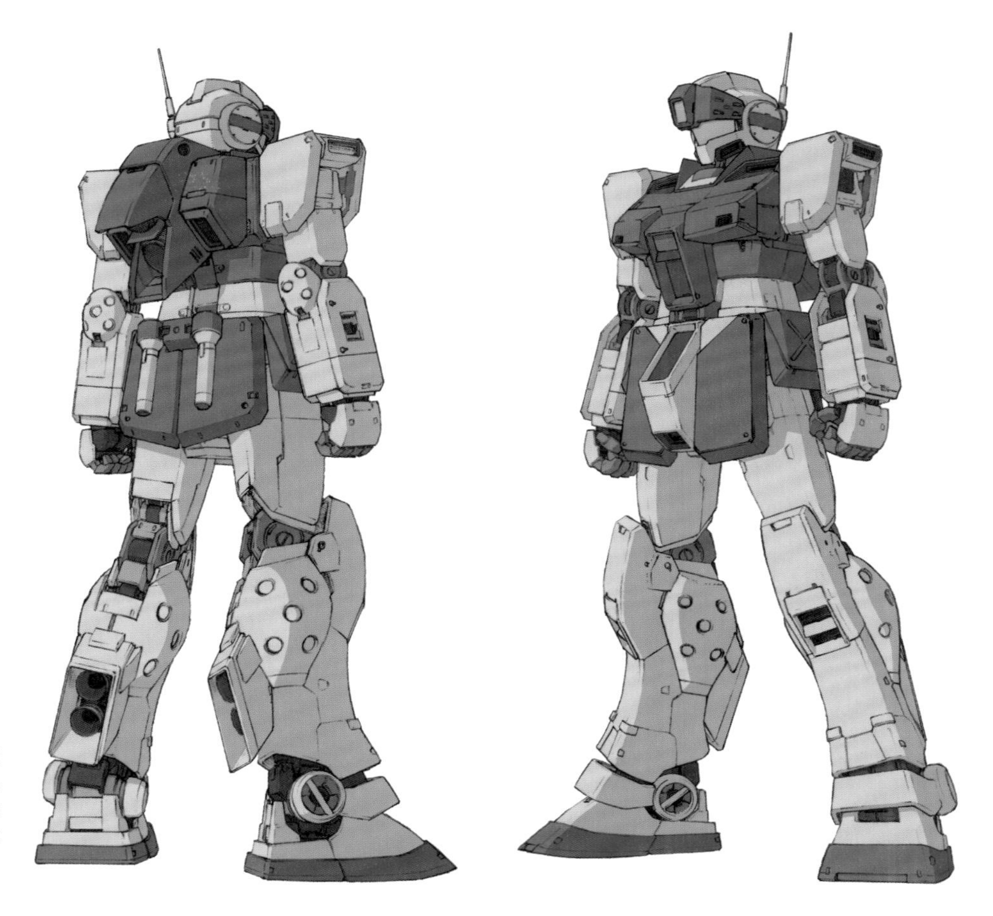

■RGM-79SP〈吉姆狙擊型Ⅱ〉
這是以RGM-79S「吉姆精兵型」為藍本的機體，雖然冠上「狙擊型」這個名號，卻具備足以對應各種戰場的通用性能，對於聯邦軍MS日後的發展也造成極大影響。

胸部一帶的紅外線反應。

肩頭進氣口也設有防彈板，該設計源自在D型系列機體上進行實戰運用後，證實有著足以減少吸入碎片之類雜物造成故障的效果。雖然僅能從細小溝槽吸氣的運作效率確實比較差，但終究還是以防彈效果為優先。附帶一提，肩頭頂面和胸部裝甲底面均設有高感度的環境感測器，藉此觀測周圍環境的室外氣溫、溼度、風向，以及有無移動體等狀況。頸部回轉台基座的前方亦增設了裝甲，該處還備有可供裝設後述偽裝罩用的掛架。

胸部裝甲採用了屬於鈦合金陶瓷複合材質的非爆炸式反應裝甲。這部分採用大幅度罩住胸部主散熱口到肩頭處主發動機用進氣口一帶，可說是與其他機體截然不同的設計。畢竟這是一種以利用叢林地帶的遮蔽物隱匿蹤跡為前提，藉此迎擊敵機的機型。機體表面也因此塗布不會反射雷達波，屬於石墨／環氧樹脂複合材質的電波吸收塗料，以便將雷達波的反應控制在最底限範圍內。不過該塗料覆膜也令機體重量增加290公斤左右。

裝甲形狀未刻意設計成具有高度跳彈性的傾斜裝甲，不過裝甲表面倒是廣泛設置掛鉤，以便掛載偽裝罩。為了避免偽裝罩飄揚晃動，還特地採電磁式的吸附機制。這套偽裝罩能夠整覆蓋肩甲以下的機身，雖然有一部分的架構不盡相同，但基本上和FD型關節處使用的保護套為類似布料。基於避免發生意外捲入關節部位的安全考量，這部分在編織時加入壓電纖維，以便經由電子式測量監測加以確認。因為首要運用目的終究在於瞞過熱源感測器、氣流感測器之類的裝置探測，所以最外層在編織時並未加入可提升耐彈性能的鈦合金纖維。

腰部區塊

這部分以G／GS型的下側框架為基礎，在中央下側增設裝甲而成。臀部增設與FD型屬於同型號的線性噴嘴，因此獲得更為強勁的推力。這組噴嘴和FD型一樣，內部設有偏轉裝置，可藉此改變推力軸線，但被偵測到的可能性也較高。

前裙甲／後裙甲為左右對稱式的階梯狀長方形裝甲。裝甲長度一路向下延伸至接近大腿中央，而且是撤除原

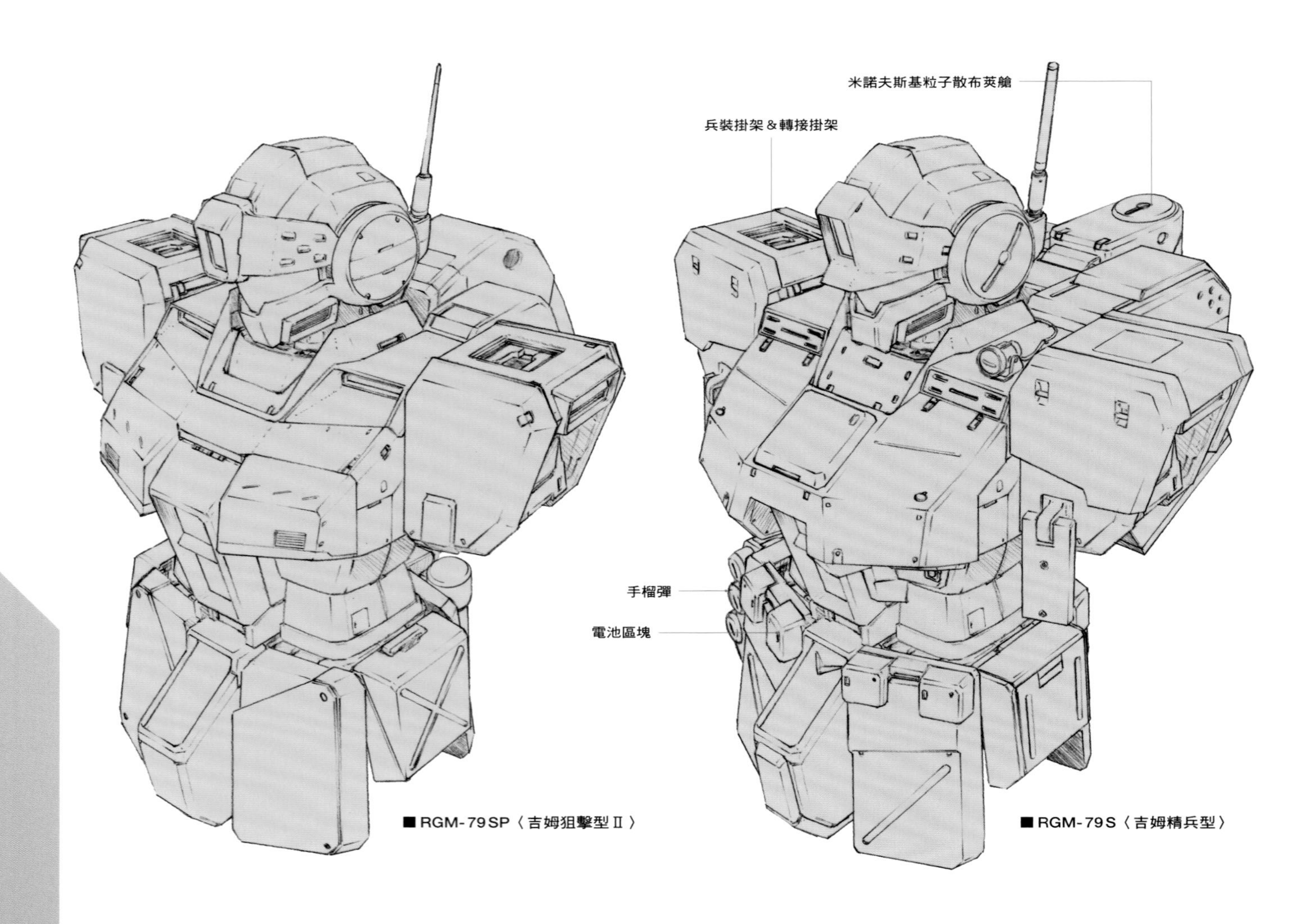

■RGM-79SP〈吉姆狙擊型Ⅱ〉

■RGM-79S〈吉姆精兵型〉

有裙甲後才設置。這組裝甲上側較厚處內藏有輔助發動機，下側也內含燃料槽。頂端電池區塊則是在執行長時間作戰之際用來延長行動時間的裝備之一。尤其是當主發動機未運轉時，即可憑藉電池區塊，提供偵察等機能所需的電力。附帶一提，裝甲表面還設有多功能調整式掛架，可用以掛載增裝裝甲或備用彈匣之類的裝備。

一般來說，左右側裙甲都會採用多功能掛架搭配燃料槽的形式，不過本機型的右側裙甲則是換裝為多功能發射器，以便配備三顆手榴彈。附帶一提，左側裙甲的選配式裝備用掛架則是搭配增裝裝甲。

推進背包

由於推進背包採用裝設在機體背部掛架上的方式，因此在研發這類的專用裝備時進行得較為流暢。推進背包本身採用分為左右兩大區塊的架構，主推進器設置方形推進器噴嘴，而且是固定為朝下45度的方向。

隨著推進器採用方形的噴嘴，為了降低推進器的排氣溫度，主機改為設置在較深的部位，噴射口風葉也改用陶瓷系的超耐熱重組複合素材製造。如同前述，胸部增裝裝甲內的主散熱口設有旁通管道，該處會連接至噴嘴外圍的溝槽以進行散熱，這部分的排氣不僅經過冷卻，也會與推進器這邊的排氣混合，藉此發揮降低紅外線反應的效果。

推進背包的中央上側，備有米諾夫斯基粒子散布莢艙。當MS散布米諾夫斯基粒子時，其實會嚴重受到地形和氣候等外在因素影響，而且以單一機體的搭載量來說，將半徑約一公里的範圍內散布至戰鬥濃度就已是極限，這也是明確公布過的計算結果。因此不難想像，這顯然是著重於實驗性質的裝備。自本機型之後就再也沒出現過配備米諾夫斯基粒子散布莢艙的MS，這也是該裝備並不實用的佐證。話雖如此，對於搭乘此機型的駕駛員來說，這項裝備在心理層面上或許能發揮相當大的

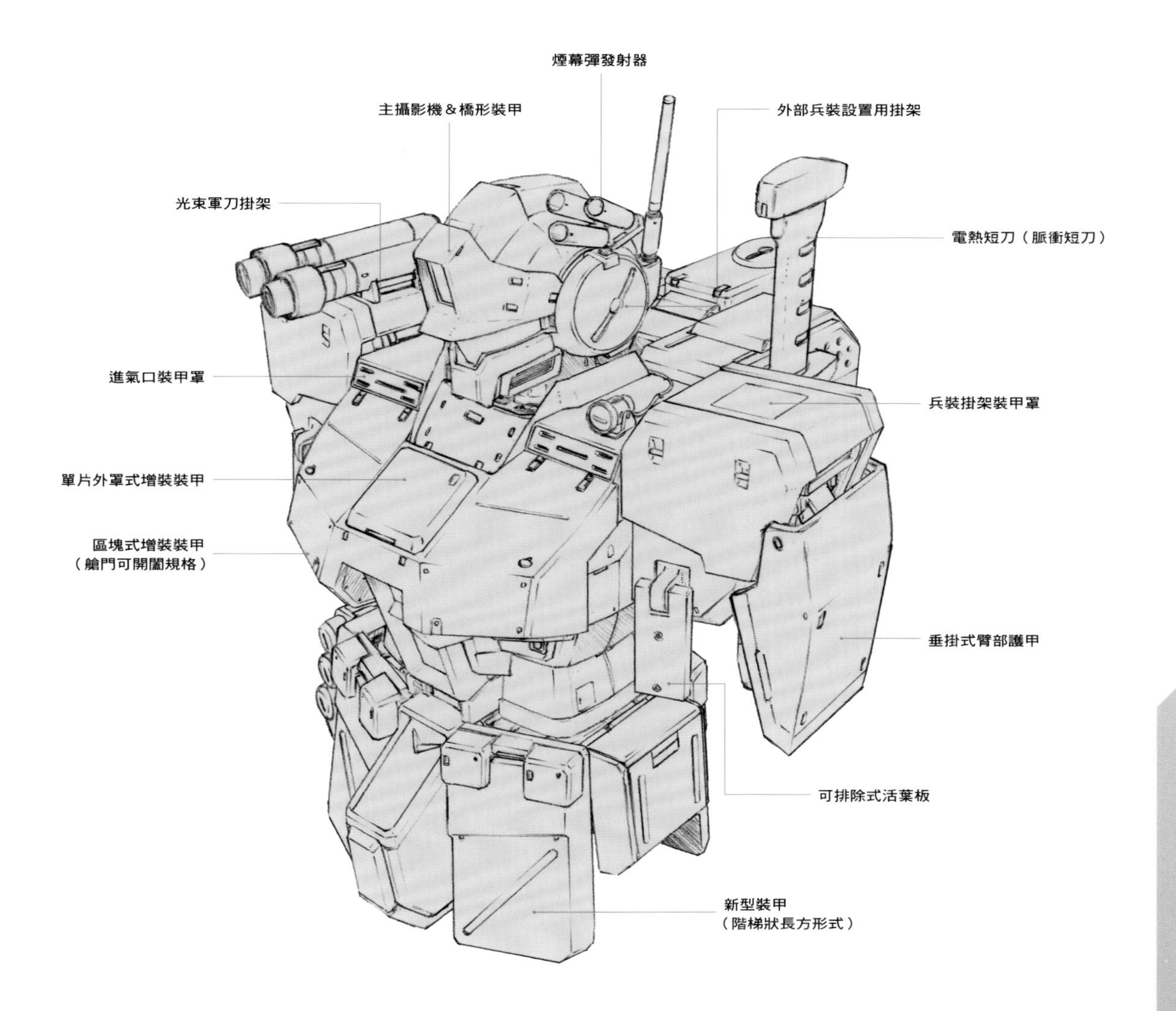

效用。畢竟埋伏任務原本就得在精神層面上承擔極大的負荷，即使只能在短期間內於有限範圍裡發揮些許的效果，說不定也仍是不可或缺的裝備呢。

加大推進背包尺寸的理由之一，在於需要內藏熱交換器。畢竟對MS來說，散熱是使機體維持正常運作狀態下不可或缺的要素。胸部主散熱口排出熱量後，會一路通往設置在線性噴嘴上方的熱交換器。如同前述，在這裡冷卻的排氣會進一步於推進器處混合。另一方面，排熱時也能運用於渦輪驅動，以便進行蓄電。如此一來，就算主推進器處於空轉狀態下，亦能靠著充電式電池使機體進行短時間運作。

推進背包的左側備有近接戰鬥用電熱短刀，對於以匿蹤行動為主要任務的本機型來說，這是十分符合運用需求的裝備。雖然就RGM-79系列機型搭載的發動機輸出功率來看，要使用光束軍刀並不成問題，不過本機型的戰鬥形式是以匿蹤行動為前提，目的則是在於癱瘓敵機行動能力；況且使用光束兵器尚有著可能引燃、誘爆敵機燃料槽的顧慮，以及被遠方偵測到、產生紅外線反應的危險性。就評估後的結論來說，近接戰鬥用主兵裝最好是毆擊兵器，或是相當於吉翁公國軍用電熱斧的實體兵器。本機型配備的電熱短刀為八洲工業製品，刀柄處內藏有連接裝置，可藉此和主體的發動機相連接，進而使刀身產生超音波頻率的振盪。附帶一提，可持續使用的時間也和光束軍刀並沒有太大差異。另外，雖然電熱短刀亦有脈衝短刀這個俗稱，不過在實際的規格書或官方文件裡都沒有使用這個稱呼。

臂部／機械手

臂部本身仍維持G／GS型的原樣，不過肩甲前後和頂面均設置增裝裝甲。當機體跳躍時，肩甲側面姿勢控制推進器可發揮高度的控制效果，這點也已獲得證明。

肩甲前後兩側的增裝裝甲為非爆炸式反應裝甲，且覆

CAUTION/MODEX : RGM-79S

RGM-79S 警示標誌／識別編號

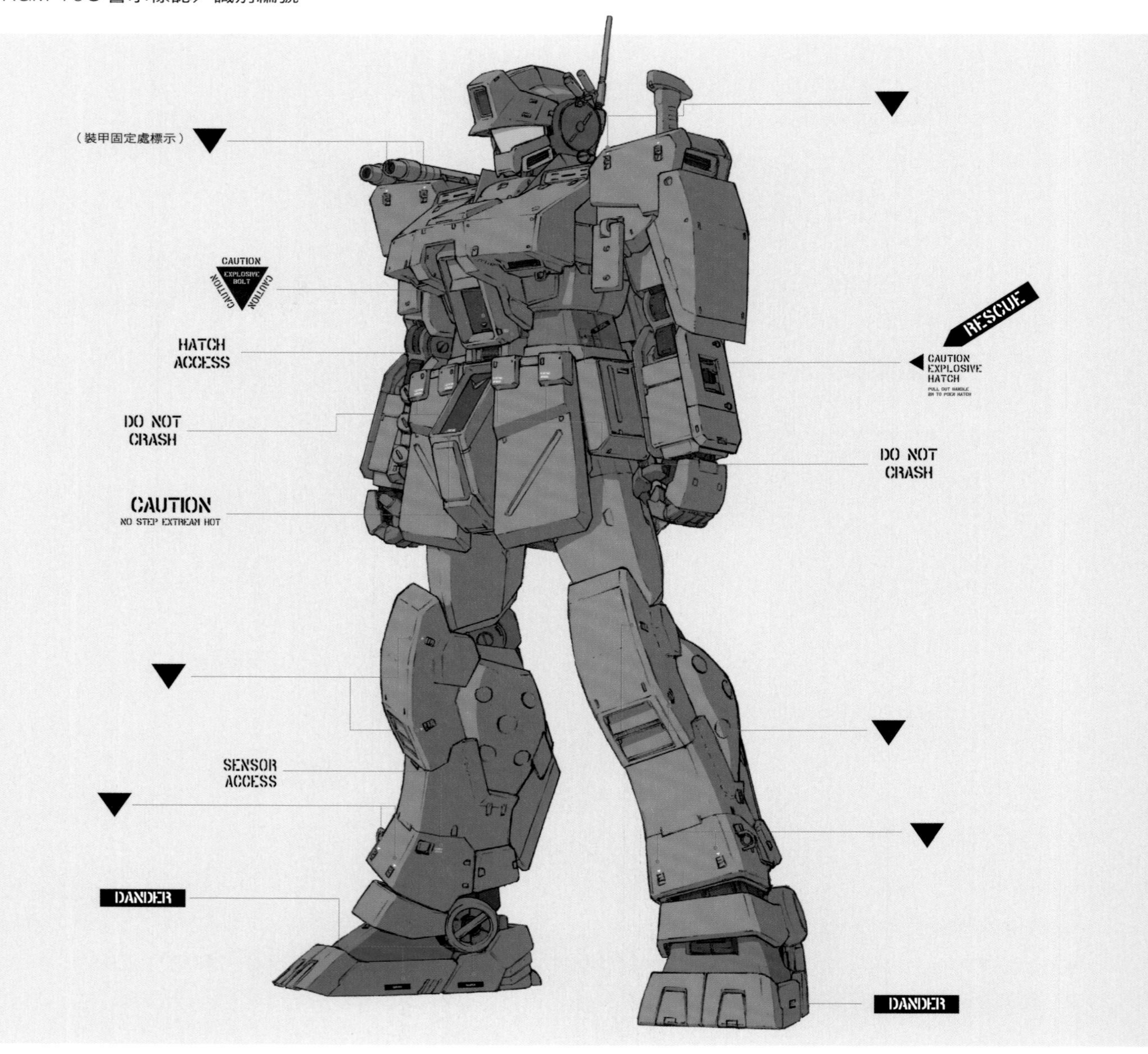

蓋在中彈率較高的部位上。右肩甲頂面還能藉由多功能掛架配備兩柄光束軍刀。另外，相關紀錄中偶爾可看到改為配備線控式反MS飛彈的例子，不過對於以近接戰鬥為主要任務的本機型來說，使用線控式反MS飛彈並不具備顯著的戰術價值；況且在以往的相關研究當中，其實找不到聯邦軍制式採用同型飛彈發射器供MS搭載的紀錄。在此姑且記載有這類說法，供各位參考。

左臂處（或是駕駛員自行設定為相對於慣用手的那一側）備有利用對MS戰護盾零件製造的小型護盾，這部分是藉由轉接器掛載在上臂處的連接掛架上。雖然前臂處的護盾裝設用多功能掛架仍可使用，但在近接戰鬥時會成為呆重，因此在該處掛載裝備的狀況相當少見。

肩甲的正面下側，有著藉由多功能魚眼扣連接座掛載的活葉板，這部分是用來裝設偽裝罩的支撐架。雖然是輕盈的芳綸纖維製品，不過除了連接扣以外，偽裝罩主體的重量其實多達160公斤。因此為機體裝設置偽裝罩時，必須先掛載在活葉連接板上，再藉此裝設於肩甲上的電磁式多功能掛架處，以便因應情況，自由排除。

腿部組件

由於是以陸戰為主，因此採用屬於1G重力環境下規格的G型機材，並且以小腿為中心，增設覆蓋式裝甲。

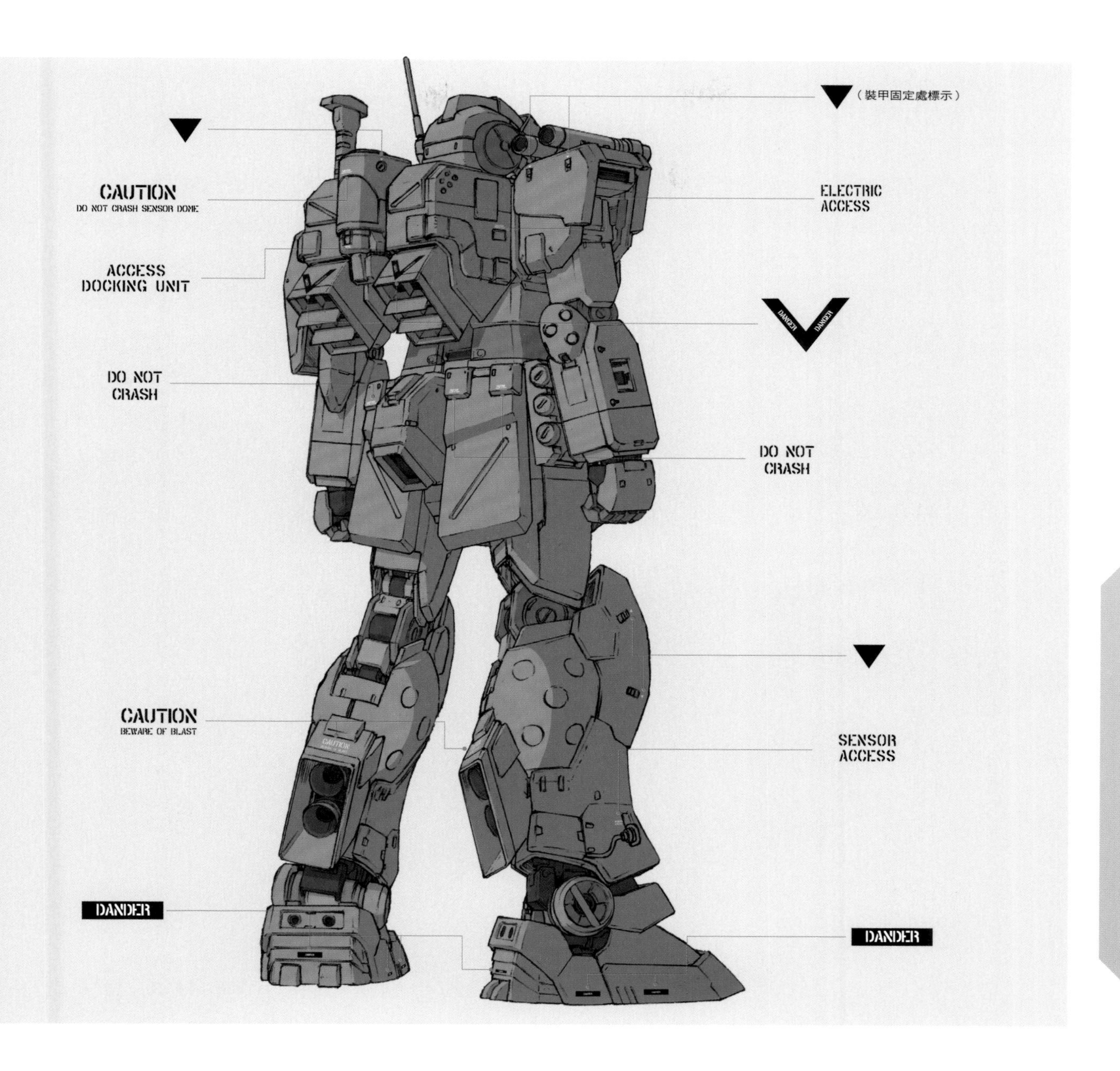

雖然針對設置增裝裝甲導致重量增加一事，大腿部位也相應強化關節零件，不過在外觀上看不出差異。

膝蓋和小腿正面設有50公釐厚的爆炸式反應裝甲，腳踝處亦設置60公釐厚的同類型裝甲。RGM-79系列為小腿設置增裝裝甲時，亦會將對人戰鬥的狀況納入考量，因此多半採用可以連帶殺傷攻擊者的爆炸式反應裝甲。雖然大體而言，當時並未引發被抨擊為不人道兵器的爭議，但日後研究卻偶爾會被提出指責，不過這其實是搞錯了重點。畢竟，若是依據殺傷威力來論斷人道與否，那麼MS這種兵器本身就是最大的問題。

考量到小腿後側的關節開口部位較大，於是設置兩層60公釐的裝甲，這部分也同樣設置和肩甲一樣的偽裝罩支撐架。

腳部本身沿用RGM-79F「陸戰用吉姆」的機材。雖然從披掛裝甲的面積分布來看，很容易誤會本機型在重量方面比F型等機型輕盈；不過從胸部裝甲骨架內增設冷卻機材、塗布電波吸收塗料，且備有偽裝罩這類特殊裝備，而且在機材運用上是以密林、泥濘地、溼地等環境，還有崎嶇地帶為中心可知，確保機體的穩定性乃是最優先的課題所在。不僅如此，除了貝爾法斯特以外，其他工廠也很積極投入將B型修改為F型的作業，因此便於確保生產線和零件。

02

■RGM-79FD〈裝甲強化型吉姆〉
＃251非洲方面軍第5 MS大隊

配合自U.C.0079年12月5日展開的非洲掃蕩作戰，從奧古斯塔工廠先行試作的RGM-79FD中調度數架分發給該地部隊使用，同時也一併進行實戰測試。由於這項計畫乃是臨時決定，因此運抵前線時，仍維持著試驗用的配色。

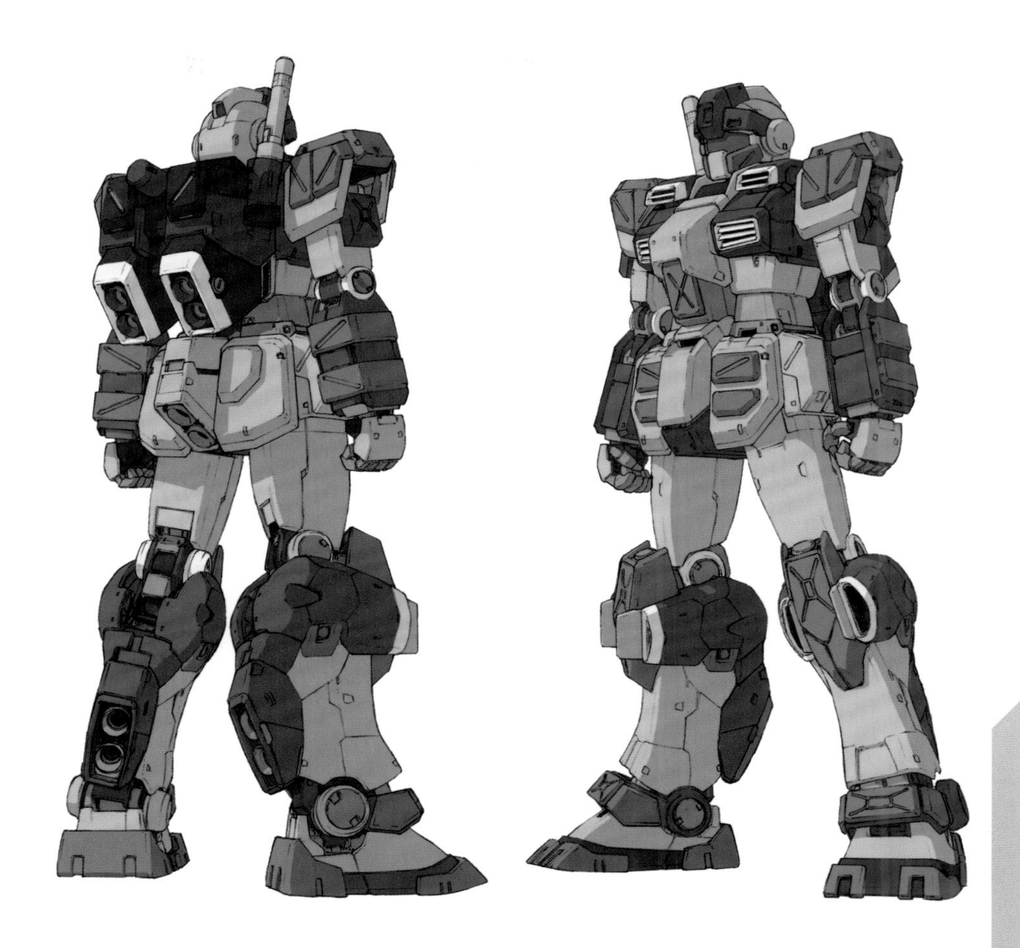

增裝裝甲修改機的子孫

增裝裝甲修改機的系譜自F型起展開，隨著對MS用大型火器「巨型火箭砲」登場之後，便朝著採用反應裝甲的方向發展。然而面對MS搭載光束兵器這種無從避免的趨勢，採用反應裝甲的防禦手段也逐漸淡出了歷史舞台。

畢竟面對高輸出功率的光束兵器時，反應裝甲實在稱不上是有效的防禦手段。可望展現效用的，反而在於抗光束覆膜的技術（雖然尚有I力場產生器這類更有效的防禦手段存在，但該裝備在尺寸和能量消耗幅度等方面，仍有著重大問題待克服）。因此在戰後研發的MS中，屬於「重裝甲規格」這個範疇的機型多半也和S型一樣，放棄採用反應裝甲的想法。

另外，聯邦軍在大戰後期另有推動FSWS計畫※，該計畫的概念並非僅止於純粹地強化裝甲和推力，而是將火器也納入增裝組件中，追求進一步提升火力，這對日後的重裝甲規格機體也造成極大的影響。像這樣奠定了將裝甲、推力、火力（連同輸出功率）成套進行強化的方法後，各個時代也都據此作為「提升當代機體性能」的手法，並且反覆套用嘗試。

就具備相同概念的後續機體來說，自格里普斯戰役起便有著RGM-79R「吉姆II簡易打擊型」之類的機型存在，而且隨著鋼彈合金問世，總算也實現了主力機種採用月神鈦合金的夙願，重裝甲機體也轉為主體直接採用厚重裝甲的設計，使得尺寸變得日益龐大，為走上恐龍般的進展路線扣下了扳機。

※FSWS計畫
在RX-78「鋼彈」開始運用之後，亦擬定了以全面提升性能為目的，為該機種追加包含裝甲、武裝、推進器在內的增裝裝甲零件方案。該草案即為「Federal Suit Weapon System（MS通用武裝系統）」。亦有註記為Full-armour System and Weapon System＝增裝武裝系統計畫的文獻存在。

戰後研發的吉姆系列

一年戰爭結束後，聯邦議會致力於戰後復興事項，於是開始刪減軍事預算。受此影響，U.C.0080年代初期聯邦軍朝著縮減軍備的方向發展，導致諸多MS研發計畫被迫中止，或是加以整合而不復存在。

即使是戰爭期間研發的機體，亦得依循U.C.0081年施行的合理部署計畫，以更有效率運用為目標，將原本各行其是的規格經由整合，去蕪存菁，並且具體落實在部署機種上，全新生產的機體更是得進行嚴格審核。不過實質上能夠符合這些要求的機體，也就僅限於奧古斯塔工廠製的高性能機種G型，以及賈布羅工廠的大量生產機種C型這兩個系統。

不僅如此，U.C.0081年10月13日經核可「聯邦軍重建計畫」後，更是促成將MS以零件為單位統一規格，使得生產線近乎完全整合為以C型系列機為準。即使G型在綜合性能上確實比較出色，但考量到1,400千瓦級的高輸出功率發動機必須在無重力環境的製造設施中才能生產，仍然有零件調度方面的問題所致。

不過，即使處於這種難以推動全新研發計畫，甚至可說是被刻意凍結的窘境之下，卻也還是有幾種新的機型誕生。

EFSF

RGM-79N
吉姆特裝型

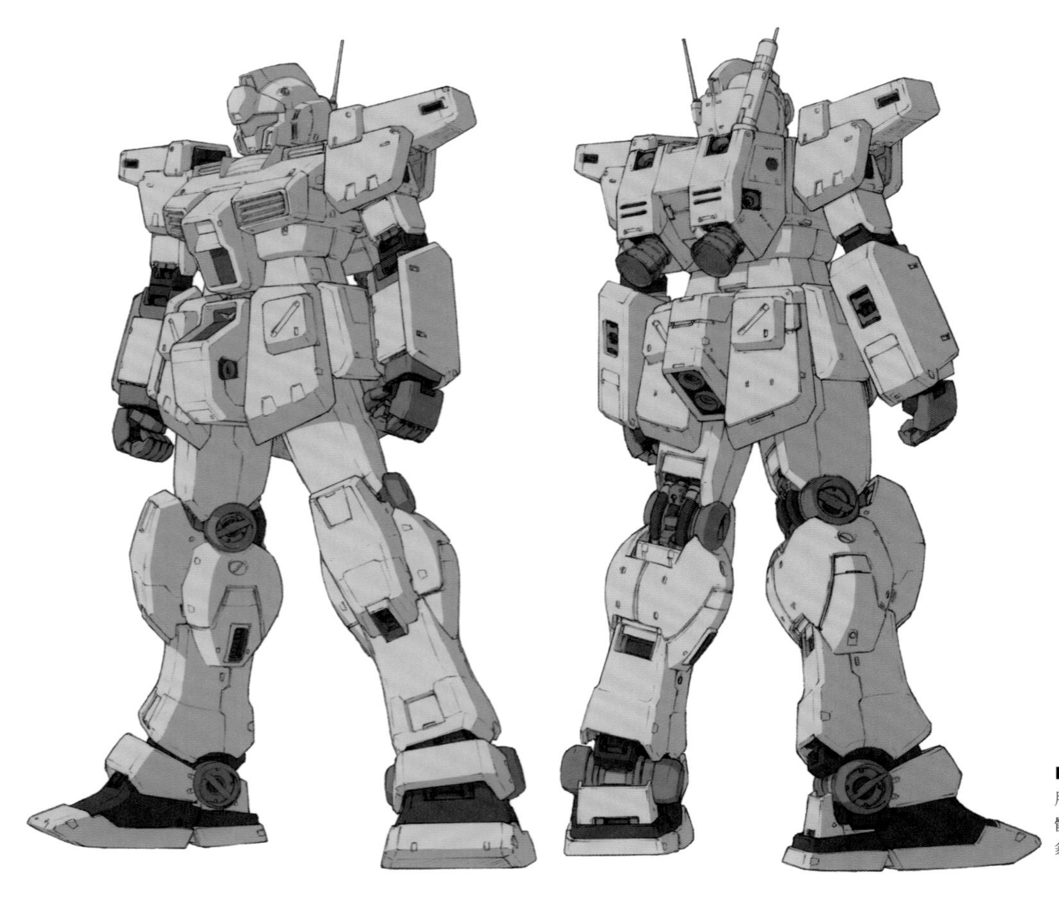

■RGM-79N「吉姆特裝型」採用的配色模式之一，象徵該機體是分發給在太空執行掃蕩吉翁公國軍殘黨任務的部隊使用。

相較於性能面，聯邦軍高層在戰後最為著重的指標，其實在於能對應規格化的機體。這樣一來，不僅理所當然地更便於調度消耗性零件，隨著操縱系統整合後，亦可發揮縮短駕駛員機種換乘訓練時間等額外的效益，可見推動規格化一事確實有著諸多益處。

不過對於在非洲大陸和暗礁宙域等處執行掃蕩公國軍殘黨任務的前線部隊來說，MS的性能好壞卻是攸關生死。畢竟在他們對抗的殘黨勢力中，不僅仍有MS-09「德姆」型機體存在，亦不乏持有MS-14「傑爾古格」型之類大戰後期高性能機種的組織；況且操縱這類機體的駕駛員，幾乎都是在一年戰爭中倖存下來的老練士兵，這也是C型根本無從滿足需求的理由所在。

一方是講究成本效率的軍方高層，另一方則是企求提升性能的前線部隊，兩方提出的需求可說是互相矛盾，使得負責新銳機體研發的技術團隊左右為難。

在這種局面下，兵器研發局旗下技術官僚提出的解答，正是以對應規格化的戰後規格機C型為基礎，套用奧古斯塔工廠在戰爭期間研發的G型和GS型相關設計，甚至是高性能試作機RX-78NT-1「亞雷克斯」嘗試性使用過的技術。在這等概念下所造就出的機型，正是RGM-79N「吉姆特裝型」。

此機型是由出身奧古斯塔工廠的技術團隊擔綱基礎的設計。為了確保生產性，在將C型的機體骨架利用到最大極限之餘，各部位亦採用經由RX-78NT-1（以下簡稱NT-1）達到實用階段的裝置展開設計作業。

受到NT-1影響格外顯著的，就屬推進系統了。除了在以下半身為中心的機體各處裝設輔助推進裝置之外，背部更搭載了形式與NT-1幾乎完全相同的推進背包。雖然基於降低成本的考量，終究做出將光束軍刀用能量供給裝置從兩具減為一具等裁減調整，不過為了縮短研發時間，技術團隊依然積極地沿用相關設計。

此外，肘關節構造亦採用NT-1嘗試投入的磁力覆膜對應型驅動系裝置。這套裝置的可動範圍比舊有型號的關節更為寬廣，得以做出更近似人體的靈活動作。

Spec

規格

機型編號：RGM-79N
頭頂高：18.0m
重量：42.0t
全備重量：57.6t
發動機輸出功率：1,420kW
推進器推力：67,480kg
裝甲材質：鈦合金陶瓷複合材質
武裝：頭部60mm火神砲×2
光束軍刀
吉姆步槍
光束步槍
護盾

RGM-79N 吉姆特裝型

RGM-79N GM CUSTOM

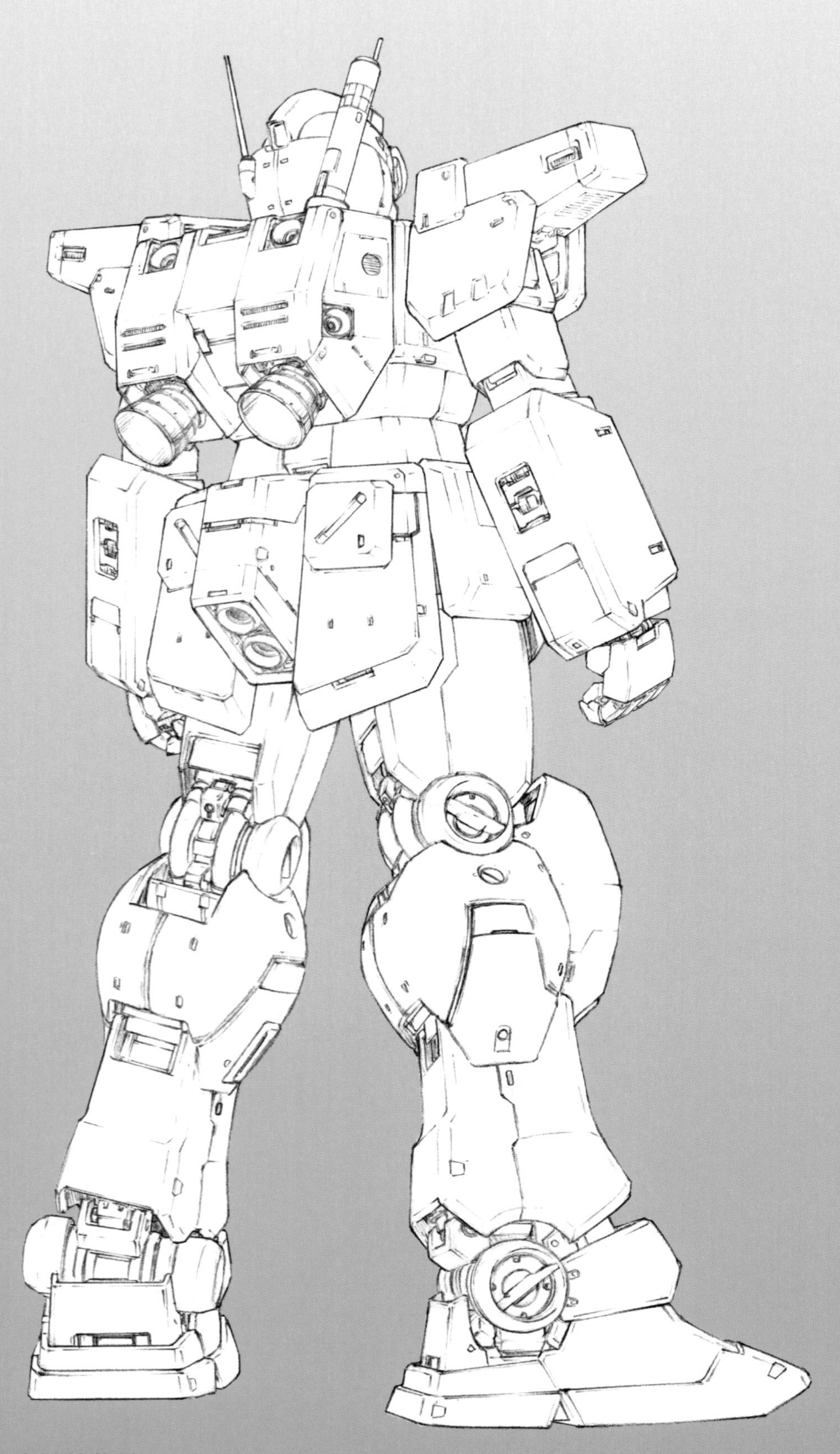

RGM-79N 吉姆特裝型

RGM-79N GM CUSTOM

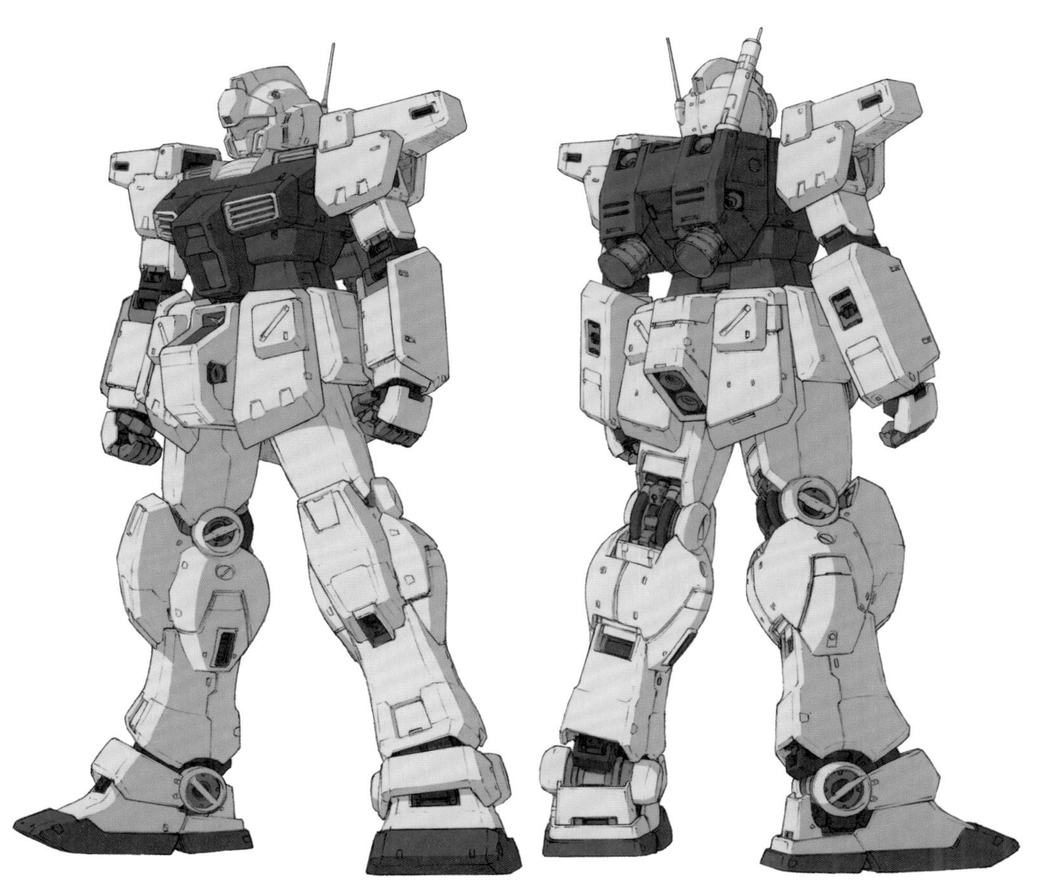

■RGM-79N「吉姆特裝型」的聯邦軍標準配色。即使一年戰爭結束了，地球上的吉翁公國軍殘黨和反政府勢力仍然持續頑抗，不時發動恐怖攻擊，因此「吉姆特裝型」也投入了實戰當中。

不過，腿部一帶的機構仍然以可靠性為優先條件，採用繼承舊有型號發展而成的構造。畢竟當機體在重力環境下運用時，膝關節零件的損耗會格外激烈，因此就調度零件和維修整備面的效率進行一番評估後，沿襲C型規格會是最佳選擇。這部分顯然也是在生產性與性能面的矛盾之間做出了取捨※。

話雖如此，就機體的性能而言，仍舊有不容向生產面做出讓步的條件。舉例來說，發動機輸出功率不夠高這點，向來被視為C型的首要弱點，這可說是絕對不能忽視的缺陷。以C型採用的1,200千瓦級的發動機輸出功率來說，實在難以維持光束步槍的穩定運作，因而導致在火力面上仍存在著諸多疑慮。

因此參與設計的技術團隊提出了一個方案——就是廢除C型之前各RGM-79系機型多半都有採用的核心區塊構造。該系統源自RX系列機種採用的逃生艙，雖然採用由A組件（上半身）、B組件（下半身）與核心區塊這三大區塊組成的構造，相對方便後續進行的更換作業，然而相對地，同樣也會帶出為了確保各區塊構造上的剛性起見，內部可供擴充的剩餘空間將極其有限這類缺點。要容納核心區塊，主發動機理所當然也會受到尺寸上的限制，形成設計上的難關。

在技術團隊的說服下，兵器研發局總算在不太情願的態度下，核可廢除核心區塊構造一事。如此一來，身體內部騰出了更多空間，得以設置尺寸更大、輸出功率更高，也就是1,400千瓦級以上的太金工業製新型發動機。不僅如此，剩餘空間也可以用來為腰部增設懸吊系統，獲得了改善1G重力環境下「搭乘舒適度」的附帶效果。

經此革命進展完成的N型，在以C型為基礎，確保生產性和運用效率之餘，亦應用RX-78NT-1的研發技術，得以成功保有高度的水準。RGM-79N「吉姆特裝型」可說是一架具備出色均衡性能的機體，在眾駕駛員之間也獲得極高的肯定。

※RGM-79N的燃料槽
RGM-79N亦可換裝NT-1規格的大容量型號。事實上，有一部分宇宙軍系部隊即部署有配備大容量型號燃料槽和輔助推進器，因而被稱為「高機動規格」的N型機體。

■RGM-79N〈吉姆特裝型〉
幽谷 第5機動艦隊 第2戰隊

U.C.0083年迪拉茲紛爭結束後，隨著迪坦斯成立，N型也優先調度給該部隊改裝為鎮暴型，不過也仍有極少數機體留在原部隊中繼續運用。到了格里普斯戰役時，有資料指出少數仍在服役的N型連同RGC-83「吉姆加農Ⅱ」被納入幽谷陣營作為戰力運用。

RGM-79N的運用實績

N型出廠後，運用賈布羅工廠的生產線投入量產，陸續分發給各地執行「掃蕩殘黨」任務的前線部隊。優先對象正是在一年戰爭中經驗老練的資深駕駛員所屬的部隊。即使這是戰後才生產的機體，卻也大半投入實戰。

尤其是爆發於U.C.0083年的「迪拉茲紛爭」，分發給飛馬級突擊登陸艦「亞爾比翁號」艦載MS部隊的機體更是立下極大的戰果。這也是N型獲得高度肯定的原因之一。附帶一提，這些部隊多半是連同具備相同骨架的RGC-83「吉姆加農Ⅱ」一併運用。舉例來說，亞爾比翁隊就是由RX-78系的試作機與三架RGN-79N、兩架RGC-83，共計六架MS所組成的部隊。雖然這種內含支援機的編組形式，其實是自V作戰起就數度嘗試的多機種合作運用概念，不過以RGN-79N搭配RGC-83的狀況來說，用意應該也在於透過包含骨架在內的零件單位共通使用，進而達成提高整備效率之目標。

雖然本機型實現了提升效率的目標，在設計上也並未侷限於單一兵器的範疇，顧及許多層面的需求，然而卻受限於議會要求縮減軍備的強大壓力，導致未能獲准展開大規模的機種汰換。不僅如此，自U.C.0084年起，除了開始生產後面章節將詳述的Q型，又接連遇上優先執行將既有機體升級為RGM-79R「吉姆Ⅱ」的政策，使得N型的生產數量一直難以成長。

持續生產至U.C.0084年的N型，後來多半也施加將操縱系統換成懸吊式座椅之類的修改，因此持續運用的時間變得比原先設想還要來得更長。

舉例來說，U.C.0087年爆發聯邦內亂的這段期間，其實就有留下幽谷陣營部隊使用N型的紀錄；即使在地球上，也有非洲方面軍運用N型的紀錄。為了掃蕩與非洲當地部落游擊隊結合，逐步轉化為本土勢力的公國軍殘黨，非洲方面軍連同投效卡拉巴組織的機體在內，將N型機投入戰鬥中。不僅如此，N型甚至還有進一步參與U.C.0088年的「第一次新吉翁戰爭」，部分機體更持續至U.C.0090年代仍在第一線服役的紀錄。

另外亦有淪入海盜手中的例子。例如U.C.0080年代中期活躍的太空海盜「酒呑童子」，便曾使用過N型，而且該組織的機體還被賦予「銀霞」的稱號。

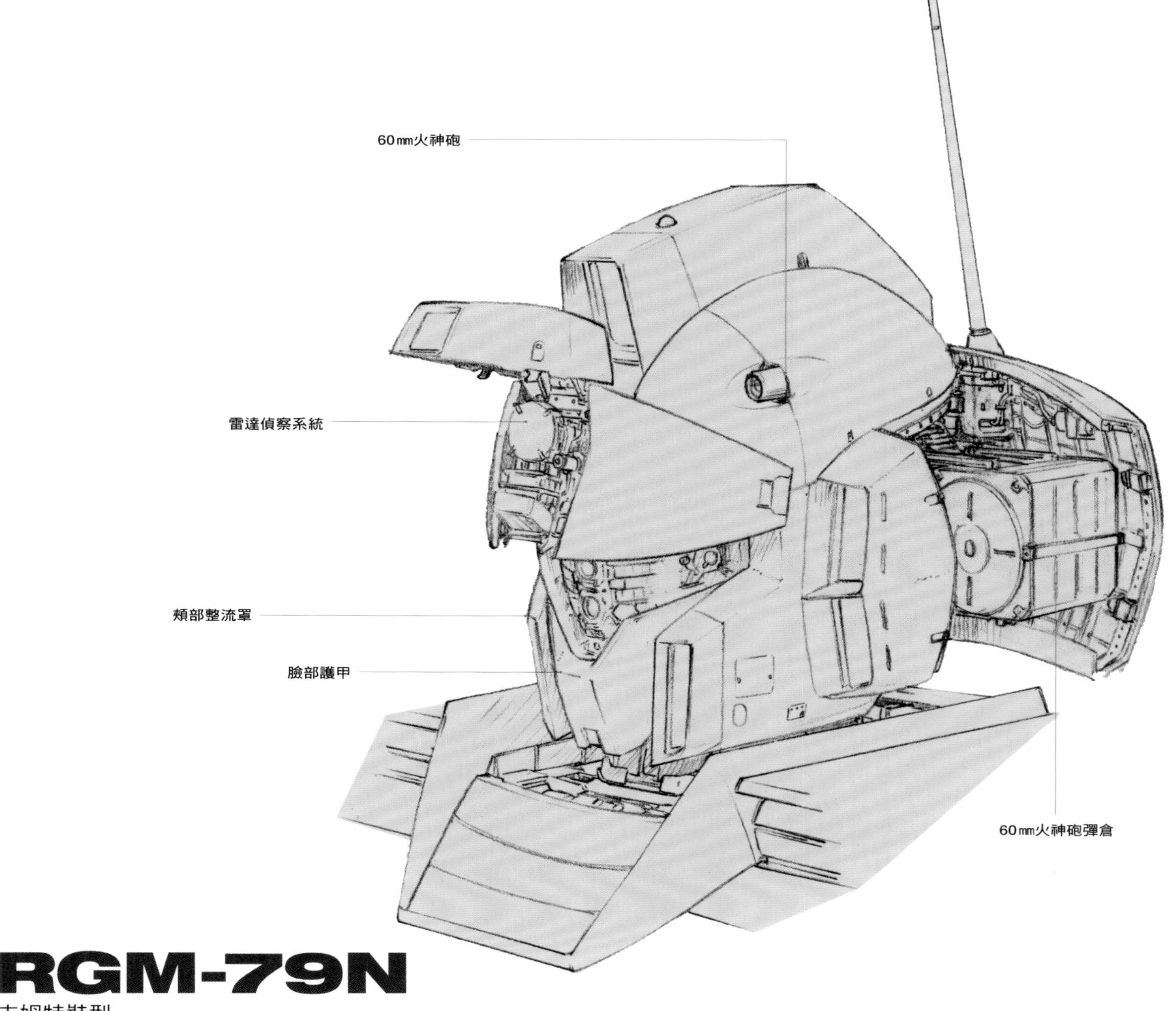

RGM-79N
吉姆特裝型

頭部組件

考量在米諾夫斯基粒子散布較稀薄的環境下的使用效益，額部搭載有雷達波式偵察系統。該盒形部位中央設有光學鏡頭攝影機，可作為輔助攝影機，而且設有與主攝影機處同等級的透明護罩加以保護。由盒形部位往左右兩側延伸的整流罩裡內藏有冷卻管線，可供這些系統使用。

位於臉部透明護罩後頭的左右兩側，則設有面板狀多功能天線，中央部位也設有光學鏡頭攝影機，可說是標準的設置形式。之所以搭載數台光學鏡頭攝影機，理由純粹在於確保視野，以及在其中一處中彈時可作為輔助裝置，以便維持機能。

面罩部位為單片式構造，當頭部組件需要進行整備之際，可藉由設置在中央下側的曲柄式合葉機構，往前拉伸展開。若是身處整備設施不夠充分的前線時，該部位便可發揮供整備人員作為踏腳處的機能。面罩部位裝甲的正面為60公釐厚，左右兩側頰部整流罩均為45公釐厚，裝甲內側的形狀亦隨著厚度改變而有所變化。之所以會採用這種設計，理由在於C型的既有機型不乏面罩呈階梯狀結構，造成意料之外的跳彈角度，導致透明護罩等處受損的事例。然而幾年後，作為主力機種的「吉姆Ⅱ」與「吉姆Ⅲ」又重新採用了階梯狀面罩設計，這也只能推測是出自設計成員積極主導所致。

本機型在研發之初就是設想作為指揮官機運用，通信系統也就採用了設有高功率的專用電池等器材的裝備，尺寸上也因此比傳統通信組件大得多。結果導致作為標準裝備的托特．康寧漢製60毫米火神砲在裝彈總數上比C型來得少。不過絕大部分駕駛員也只是將該火神砲運用在牽制敵機上，因此對於老練的指揮官級駕駛員來說，顯然並沒有特別把裝彈總數減少一事視為問題。

胸部組件

本機型搭載1,400千瓦級的高輸出功率發動機，基於提升冷卻機能方面的考量，在位於胸腔上方的左右肩

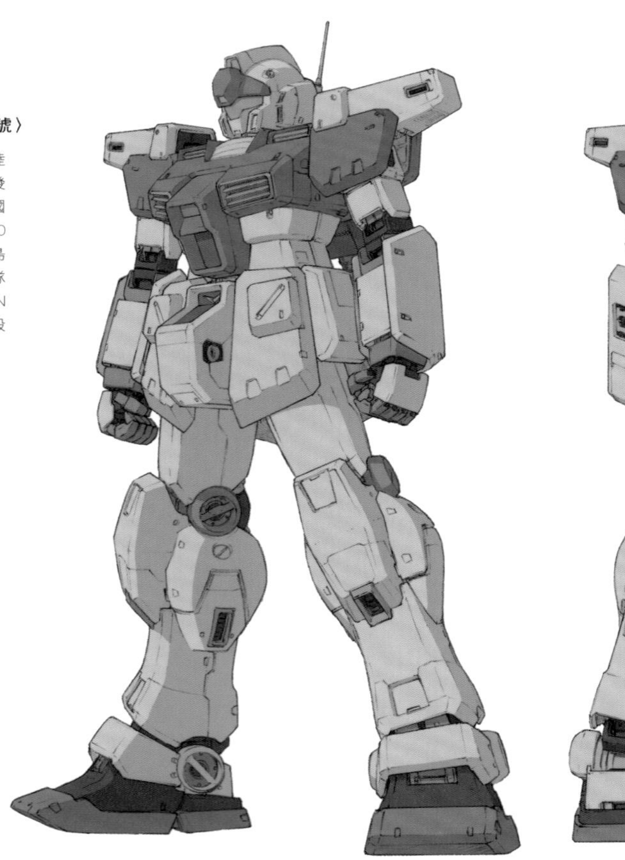
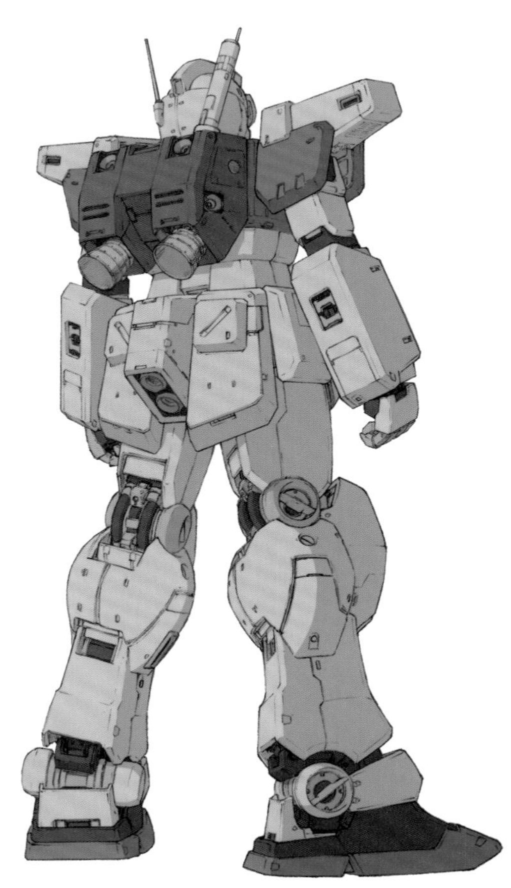

■RGM-79N〈吉姆特裝型〉
#006 突擊登陸艦〈灰色幽靈號〉

U.C.0083年初，飛馬級突擊登陸艦5號艦「灰色幽靈號」獲得分發2架N型，並在太空執行掃蕩公國軍殘黨的任務。然而該年11月10日，「灰色幽靈號」在參與金平島閱艦儀式時，被捲入迪拉茲艦隊旗下MS發動的核武攻擊，2架N型也隨著母艦在機庫裡走上全毀的末路。

頭處設有輔助進氣口。這種機構是從RGM-79G／GS「吉姆突擊型」開始採用，無須變更主發動機設置方式即可強化冷卻機能。由於胸腔內部的空間維持不變，因此比起日後可配合提高輸出功率需求，更換更大的發動機，更有著便於替換輔助器材類裝置、調整設置方式的優點。另外，受惠於這種設置方式，主發動機能夠經由最短路徑獲得高效率的冷卻效果。附帶一提，這種輔助進氣口獲得高度肯定，得以打破C型等機型各屬不同研發工廠的藩籬，廣為諸多吉姆家族所採用。

輔助進氣口外殼整流罩的後側設有合葉機構，可藉由該處掀開艙蓋面板進行整備。就內部機構來說，前側為蓄熱與散熱裝置，後側則設有輔助發動機鼓輪。

至於肩關節組件，則是設計成能夠對應磁力覆膜的多層柱構造關節。這組機構相當小巧，是由「中空構造高強度軸與環的集合體」和力場馬達所構成。隨著機體機動，並列設置在軸外殼上的線性驅動環也會隨之運作，使得關節活動時的阻力能夠無限趨近於零。相較於以往的標準力場馬達驅動式關節，雖然內含零件的總數量增加了，構造本身卻得以進一步地組件化，達到既簡潔又具備高度整備性的境界；再加上軸部不僅更換素材，更採用與外殼零件一體成形的設計，使得整體的剛性也獲得了提升。就結果來說，當本機運用MS的大型攜行式火器時，確實可充分體會十足的耐用性。附帶一提，由於運作時會產生高磁場，軍方要求必須透過物理方式達到99.9998%以上的阻隔效能，因此從未收到在整備區域發生金屬備料等物品突然被吸附過來，導致衝撞機體之類意外事故的報告。

腹部組件

廢除了核心區塊式的構造後，機體便得以改為搭載太金工業製的大型發動機。駕駛艙仍為傳統的多面顯示器式架構，雖然艙蓋採用可整個朝上掀起的構造，卻並未特別設置內部閘門。此外，為了達成輕量化的目標，艙蓋本身的裝甲厚度也修改為正面40公釐、側面與頂面則各為25公釐。

駕駛艙區塊沿襲既有吉姆系的設計，除了航電系統以外，其他部分沒有顯著更動。附帶一提，就本機來說，可以駕駛艙構造作為基準，大致區分為四種形式。

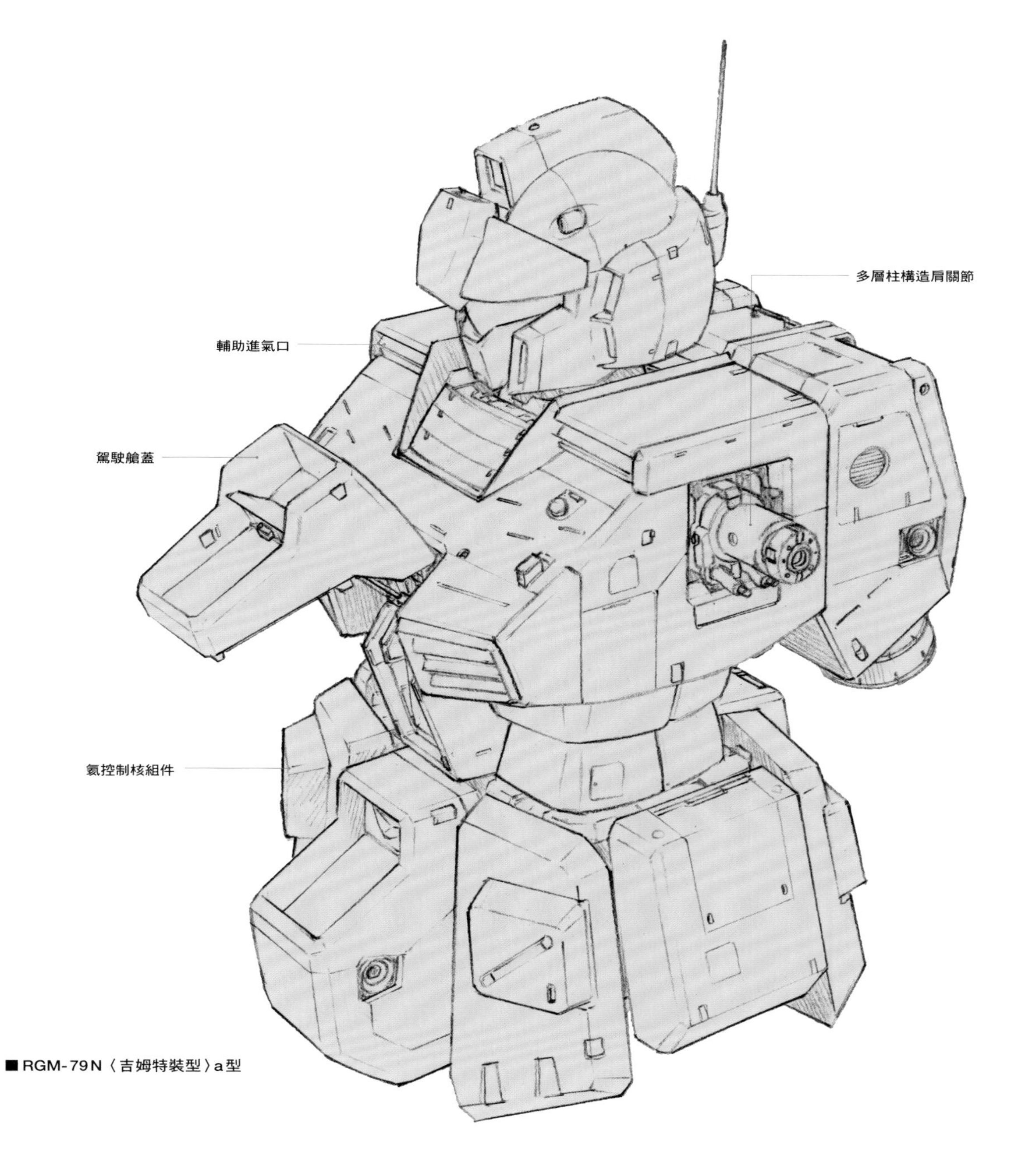

■ RGM-79N〈吉姆特裝型〉a型

■ a型

這是由一般的密閉型駕駛艙和平面型螢幕所構成。顯示器解析度比既有的吉姆系列更高，搭載的各種感測器和攝影機系統可藉此使性能發揮至極限。

■ b型

機體本身的基礎性能和a型並沒有差異，不過駕駛艙一帶的裝甲經過強化，形狀方面也經過調整。這是為了因應腹部裝甲內部發生爆炸之類的狀況時，能夠使暴風往前後逸散開來，藉此提高駕駛員的生還率。這種小幅度的修改大致上是套用在自U.C.0083年11月起生產的機體上。

■ c型

這是360度多重螢幕對應型駕駛艙搭載機。該系統與RX-78NT-1「亞雷克斯」試驗所用為同型設計，交由教導部隊運用後，便陸續供各機採用。至U.C.0086年4月時，既有的全部機體均已升級為這種規格。

■ d型

360度多重螢幕＋懸吊式座椅對應型駕駛艙搭載機。相較於既有的360度多重螢幕，在U.C.0086年10月生產的最後一批機體採用懸吊式座椅之後，不僅形成死角的範圍變少了，能夠顯示的資訊量也提升許多，尤其是增加可藉由視線方向鎖定目標的變焦機能與選擇顯示視

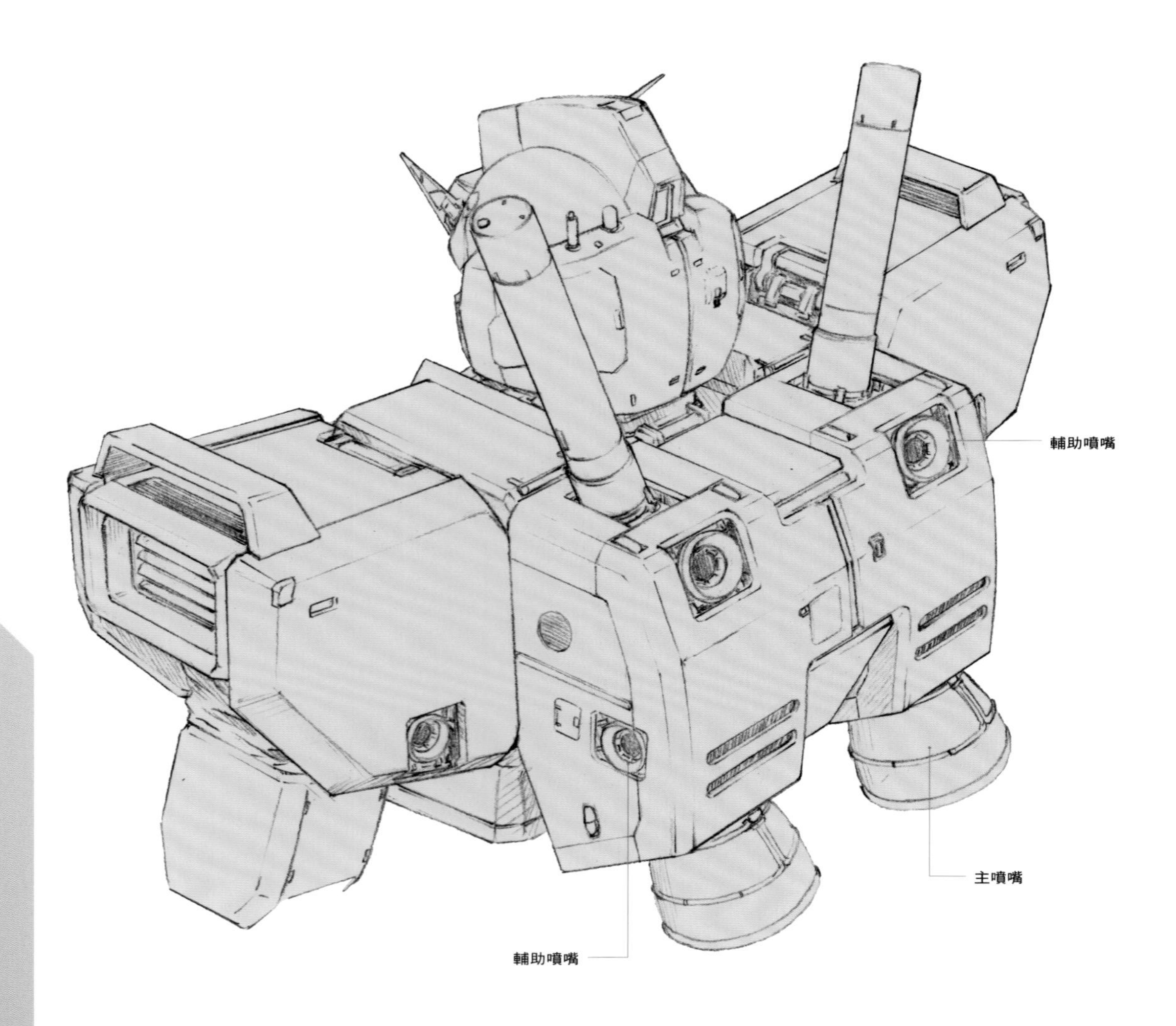

■RX-78NT-1鋼彈〈亞雷克斯〉

窗，以及視窗數量增多和提高處理速度。雖然機能本身和c型相近，但就內容來說，卻達到足以稱為次世代機種的進化幅度。從U.C.0087年7月起開始將從c型升級為d型，然而多重螢幕＋懸吊式座椅在零件供給方面，卻是以全新生產的次世代機體為優先，因此自翌年2月起就未再進行升級為d型的改裝。

腰部區塊

雖然有文獻指出，之所以在前裙甲、後裙甲的氦控制核表面各設置一道凹狀結構，用意在於利用衝壓結構，提高該盒形部位的剛性。不過實際上，該處其實是用來設置增裝裝甲、備用彈匣的多功能武裝掛架。也有部分機體為該道結構增設姿勢控制推進器的機能。聯邦軍首架採用該裝置的機體為RX-78「鋼彈」，這也是眾所周知的事實；至於設置理由，則是為對應「全裝甲方案」（FSWS）的裝備所需，就連地球聯邦軍首腦陣容的部分派系也留有確實打算採用全裝甲方案的紀錄。顯然不僅是屬於試驗機的鋼彈型，就連吉姆家族這類量產機也列入該增裝裝甲方案的評估範圍內。雖然就結果來說，FAO並未淪落為純粹的紙上談兵，而是進入實際執行的階段，甚至還保留一般俗稱「全裝甲型鋼彈」這架機體的運用與投入實戰的紀錄。不過為既有機體設置這類增裝裝甲的方案，其實僅運用在極為有限的作戰行動中，如此也就不難想像，為何最後會歸納出應致力於研發具備更高通用性能的新型機體這個結論了。對於提倡「以全裝甲化作為MS強化方案＝增裝裝甲時代來臨」的人

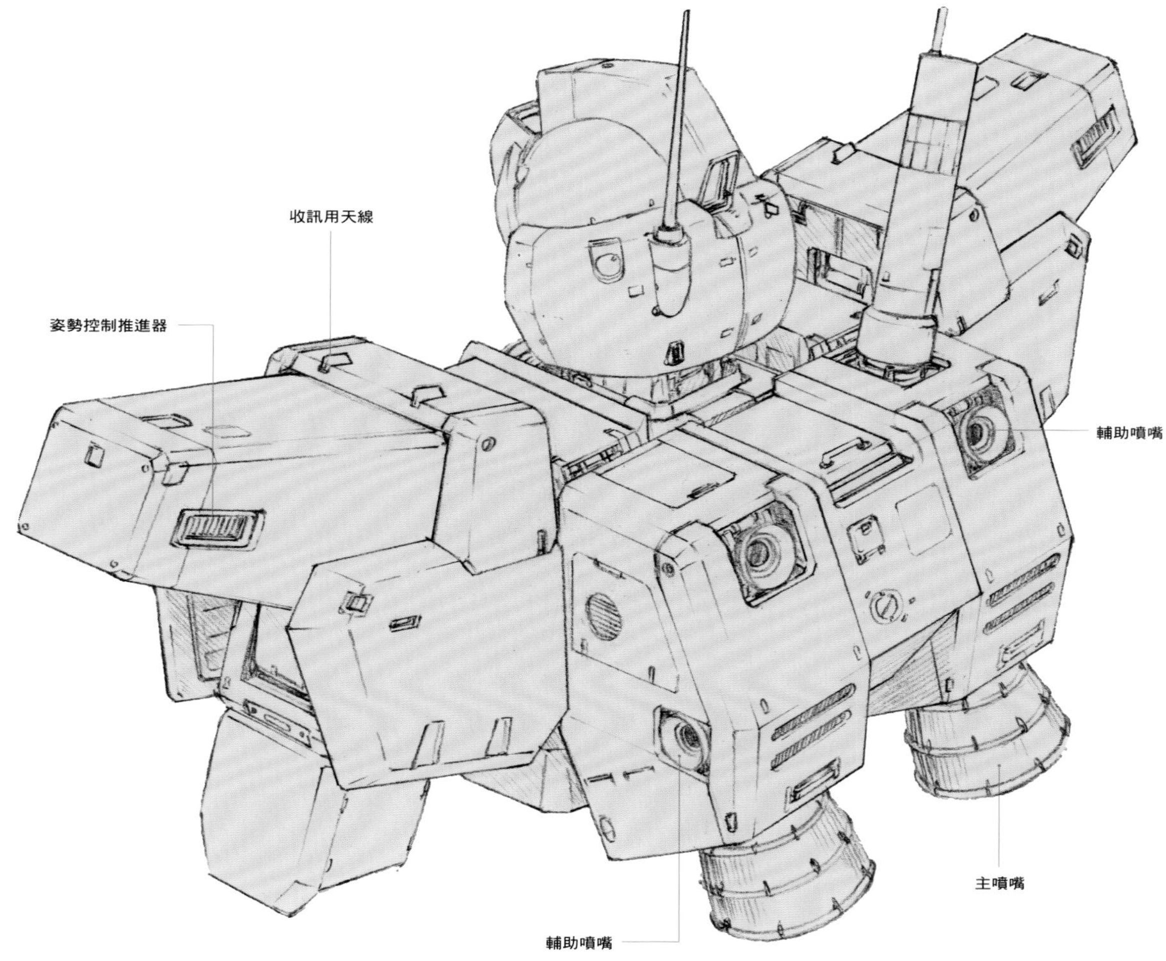

■RGM-79N〈吉姆特裝型〉

士來說，他們的想法確實未能全面開花結果，不過這類概念後來轉往其他方向發展，進而促成了裝甲覆膜技術和I力場這類系統的研發。

推進背包

在內含主推進系統的推進背包方面，機體設計本身是沿襲自於U.C.0079年12月留有交戰紀錄的試作機RX-78NT-1「亞雷克斯」。吉姆特裝型的推進背包的外形與「亞雷克斯」同為B784系統，左右各備有一具主噴嘴，在推進背包上方和左右兩側也各設有一具輔助噴嘴，亦即共有六具噴嘴。附帶一提，這種噴嘴設置方式不僅適用於無重力空間，就算是身處重力環境下，機體也能發揮高度的姿勢控制效果，這正是未撤除該設計的理由所在。附帶一提，在沿用RX-78NT-1「亞雷克斯」的推進背包設計，藉此縮短研發時間之餘，亦施加修改冷卻管線設置方式以提高運作效率等調整，就連設法降低造價以提高量產性也納入了考量。雖然推進背包輸出功率遜於RX-78NT-1「亞雷克斯」，不過與既有的吉姆家族相較，本機型在推力上已足以發揮超群的性能。

話說RX-78NT-1「亞雷克斯」並沒有採用核心區塊系統，因此在RX-78系列機體中屬於相對較輕盈的機體。不過畢竟屬於試作機，運用時仍必須搭載各種感測器和試驗用機材，使得重量超出設計時的預估數值，這樣一來，也勢必得具備足以對應的輸出功率才行。況且最重要的一點，正是因為配備「複合裝甲」乃是必要條件，因此才會備有就運用試驗來說無疑是過剩等級的輸出功

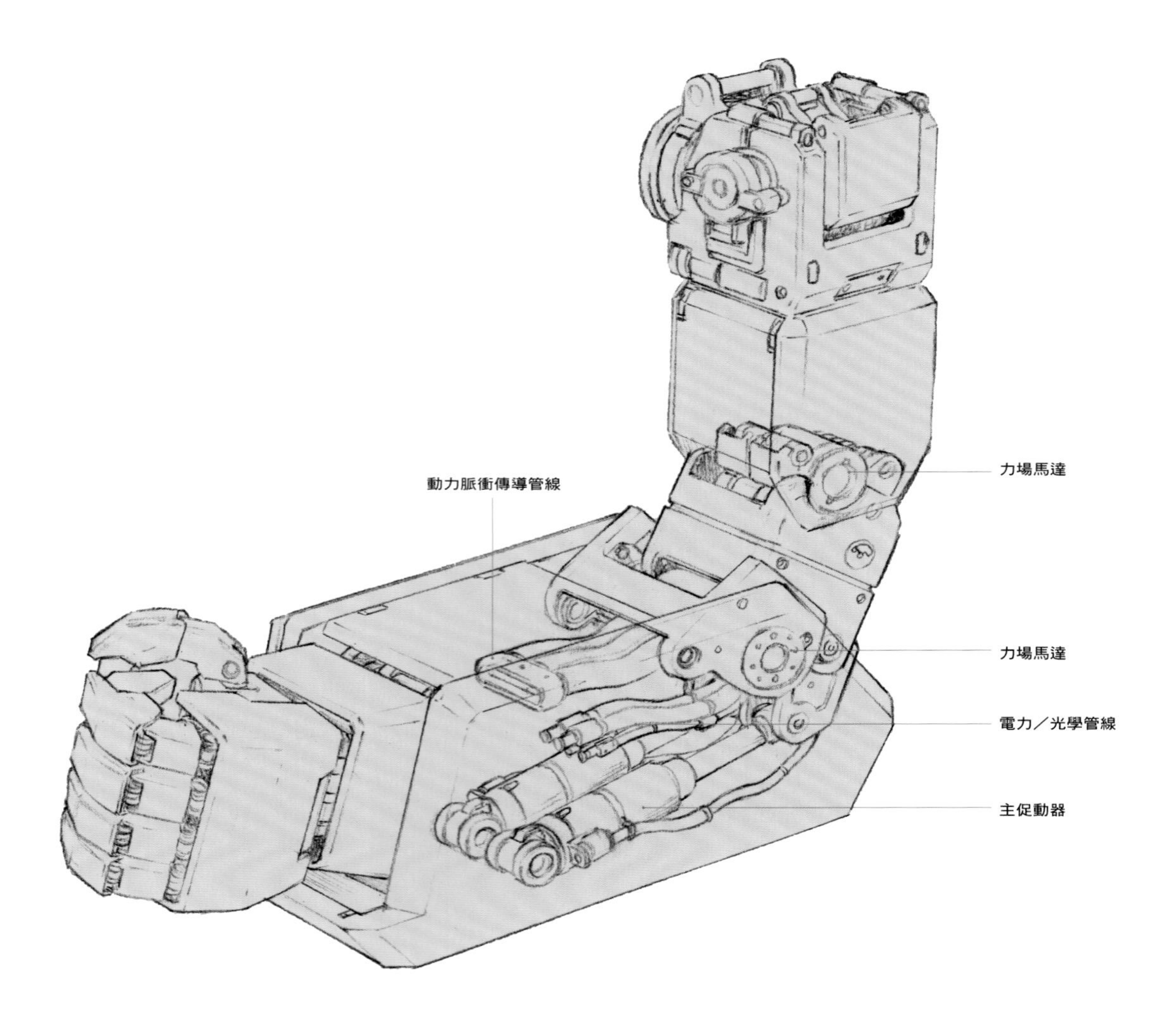

率。說穿了，本機型就是用不著這類過剩的裝備，設計去蕪存菁的量產機，當然也就獲得充分的機動性能。

臂部／機械手

基本上沿襲RGM-79系列採用的外骨骼構造。肘關節在構造上可說是由RX-78NT-1「亞雷克斯」發展而來。就機構面來說，不僅機能獲得了大幅改良，更構成能夠對應磁力覆膜的形式。即使在外觀上沒有顯著差異，不過承擔動作的主促動器卻在輸出功率方面獲得提升，得以攜行、運用尺寸更大的火器。附帶一提，後來的地球聯邦軍主力機種RMS-179「吉姆Ⅱ」並沒有採用這種肘關節組件，這點倒是頗耐人尋味。畢竟就研發時期來看，此肘關節組件應該是可經由修改陸續供次世代機種採用才對，之所以沒有這麼做，理由與其說是出在資材調度和費用面上，不如歸結於地球聯邦政府與一年戰爭後崛起的亞納海姆電子公司有所勾結的政治操作上，這也是眾所皆知的事情。

在肩甲頂面的部分，設有一路往外延伸的姿勢控制組件，這個部位在功能上相當於遠離機體重心位置的四肢，或是平衡推進尾翼之類的裝備，其末端處設有噴射噴嘴，目的在於提高機動性。由於是裝設在這個位置，因此該姿勢控制組件只要利用些許推力即可改變行進軌道。其效能足以與自U.C.0080年代中期起採用的自由平衡推進翼相匹敵。雖然之前亦有在肩甲上搭載推進器噴嘴，作為姿勢控制／輔助推進機關使用的機體，不過本機型在這方面的完成度卻達到更高的層次。只是在運用MS時，作為母艦的船艦畢竟內部機庫空間有限，因此特別訂定「聯邦軍船艦搭載機器運用規格」的嚴格規定。為了使機體尺寸能夠符合該規定，這組肩甲處姿勢控制推進器在形狀上也經過一番精心設計。這邊插個題

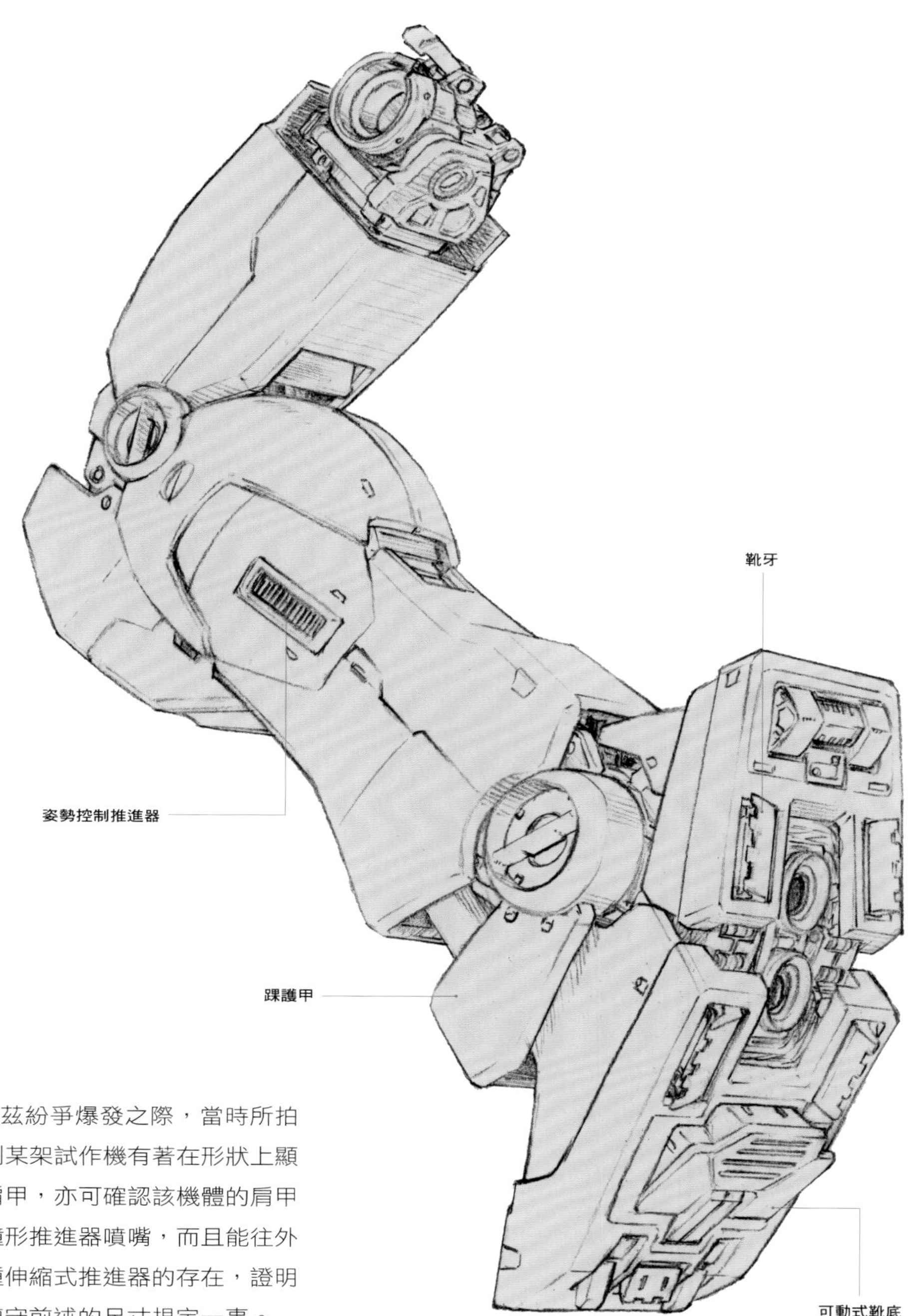

外話，在U.C.0083年迪拉茲紛爭爆發之際，當時所拍攝的記錄影像中，可以看到某架試作機有著在形狀上顯然是採用相同設計概念的肩甲，亦可確認該機體的肩甲處柱狀區塊末端還收納著鐘形推進器噴嘴，而且能往外伸出並發揮噴射機能。這種伸縮式推進器的存在，證明就算是試作機，也得嚴格遵守前述的尺寸規定一事。

本機型的肩甲處姿勢控制推進器同樣在柱狀區塊前後兩側設有噴嘴。這組推進器可利用設置在該區塊內的燃料槽以火箭方式噴射，或是改為噴射高壓氣體。需要進行整備時，可將位於末端的連接艙蓋往上掀開，以便讓內部組件沿著滑軌往外伸出。而橫跨肩甲前後兩側的橋形結構裡則是設有收訊用天線。

腿部組件

由於著重於機構面的可靠度，腿部整體沿襲C型的構造。不過主骨架經過重新設計，這是為了因應重量以及機體負荷都有所增加，才會特別針對骨架的截面形狀進行調整所致。另外，膝蓋和腳踝的關節均提高強度，亦擴大可動範圍。雖然本機型是採用C型的膝關節區塊，不過大腿背面的裝甲形狀經過更動，修改成可向內收納的構造，藉此擴大了膝關節的可動範圍。

對於U.C.0080年代初期的MS來說，膝裝甲處推進器絕對是不可或缺的裝備。不過比起空間戰鬥，其實此

CAUTION/MODEX : RGM-79N

RGM-79N 警示標誌／識別編號

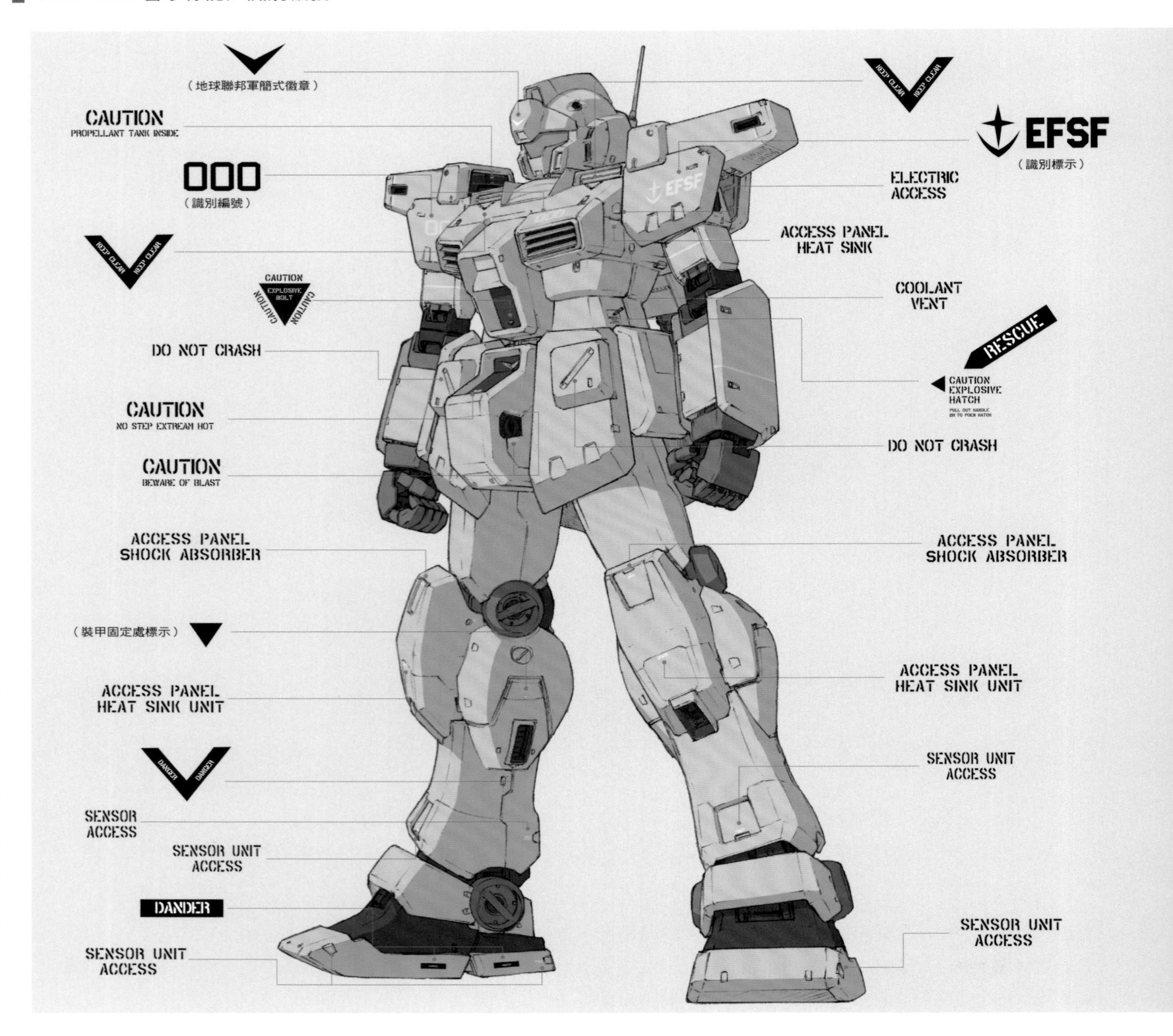

機構更講究在重力環境下作為從高處著陸之際的緩衝機構，以及在跳躍機動時，連同小腿肚左右兩側姿勢控制推進器，共同發揮輔助推進力的機能用途。小腿裝甲和大腿一樣分割為前後兩片，前側設有緩衝裝置和驅動系機構，後側則是收納燃料槽和輔助發動機。小腿正面下緣凹槽處設有踝關節組件的緩衝裝置整備用艙門，可藉由側面合葉機構往外側掀開，有助於提高整備之便。後側的燃料槽可更換為更大的型號，不過這樣一來就必須一併更換小腿肚下方的外殼裝甲才行。

大腿後側的內部空間亦備有燃料槽。以往各機型是將燃料槽設在鄰近機體各部位推進器的位置，不過本機型採用了當鄰近推進器的燃料槽枯竭時，可經由傳輸管道取用儲存於股關節區塊和大腿處燃料的設計。以既有機型的構造來說，無論運用環境是重力空間還是無重力空間都一樣，想要設置橫跨關節組件這類可動區塊的燃料傳輸管線都極為困難，因此僅有極少數機體採用了這種設計。另外，即便是採用這種設計的機體，亦不乏燃料外洩，導致裝甲覆膜劣化、骨架內部輔助器材受損，進而故障之類的問題，直到本機型問世，才算是達到成功運用的階段。附帶一提，在戰後的影音媒體上偶爾會看到「戰記題材」之類的虛構作品，其中便描述這種燃料外洩事故引發火災，進而導致機體爆炸的劇情。不過以

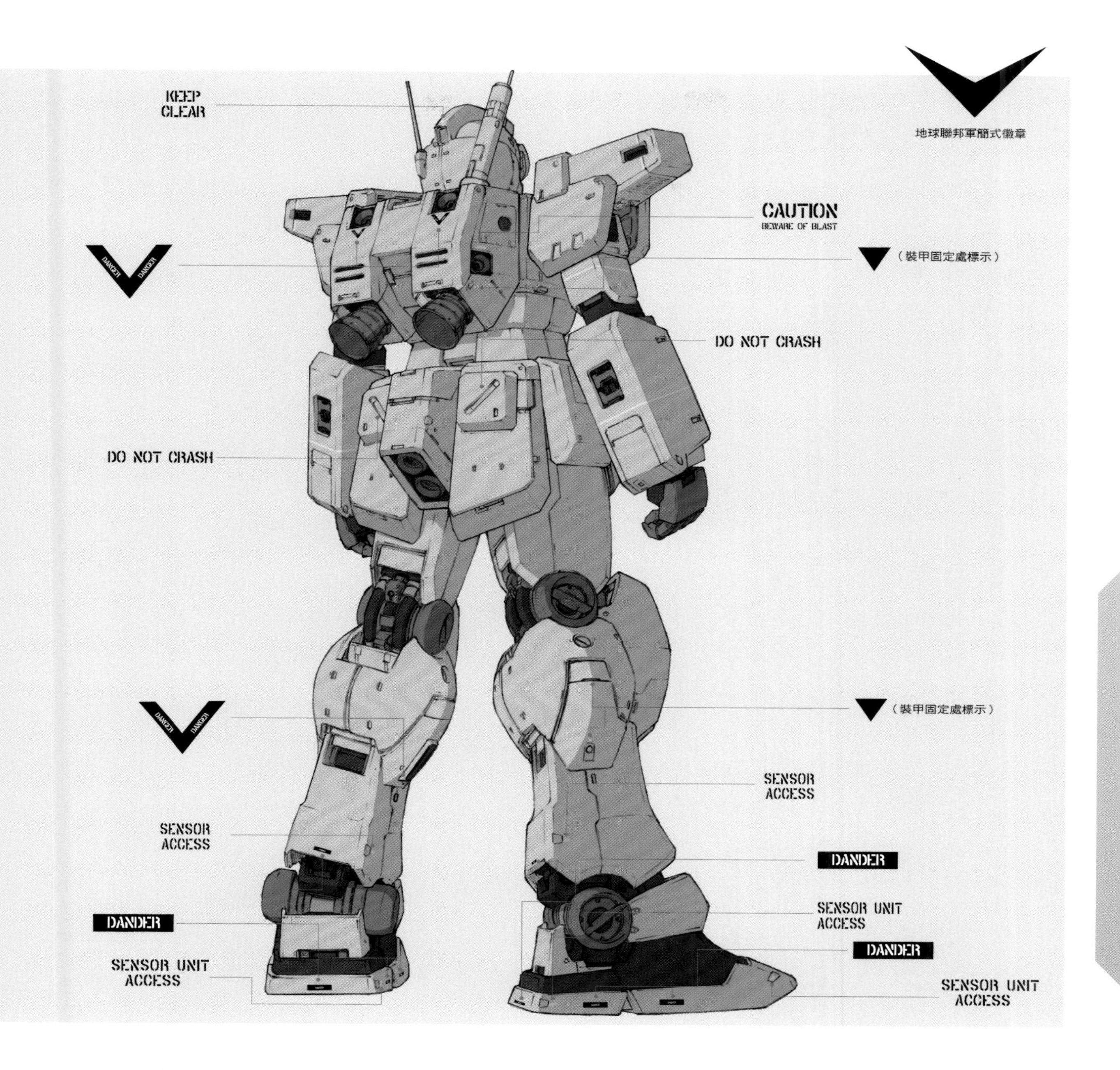

MS使用的燃料來說，引燃率僅被評估為2D⁺等級，危險性其實並沒有那麼高。雖然在使用上確實也有必須留意遵守的規範，但相關虛構創作與事實差異甚大，故特別一併在此說明。

踝關節在架構上其實足以稱為可動骨架機構的雛形。位於腳踝處的關節罩、基座的發動機鼓輪，以及腳背裝甲都並非完全固定在該位置上，而是透過伸縮滑軌式機構相連接，有著不會妨礙到關節自由活動的設計。儘管這類伸縮滑軌式構造確實有其脆弱性，卻也能確保一旦發生破損等狀況，只有滑軌本身受到損傷，不會對直接關節組件造成負荷，就連第一層外殼、第二層外殼也不會輕易脫落。骨架本身設有樞軸，可從滑軌上卸除裝甲更換，以便重複使用。換句話說，透過刻意設置伸縮滑軌這種較脆弱（實際上還是具有相當強度）的零件，以此保護高價且較複雜的重要零件。

腳底設有兩具推進器組件，左右兩側共計備有四具。不僅如此，還設有可開闔的爪狀零件，位於腳尖和腳跟這兩處的是機體固定用地錨，左右兩側則是設有可增加貼地面積，能夠與機體控制陀螺儀連動，還內藏緩衝裝置的靴牙。附帶一提，考量到機體重量增加的問題，因此本機型的貼地面積比以往機型來得更大。

PROJECTION VIEW : RGM-79N

RGM-79N圖面

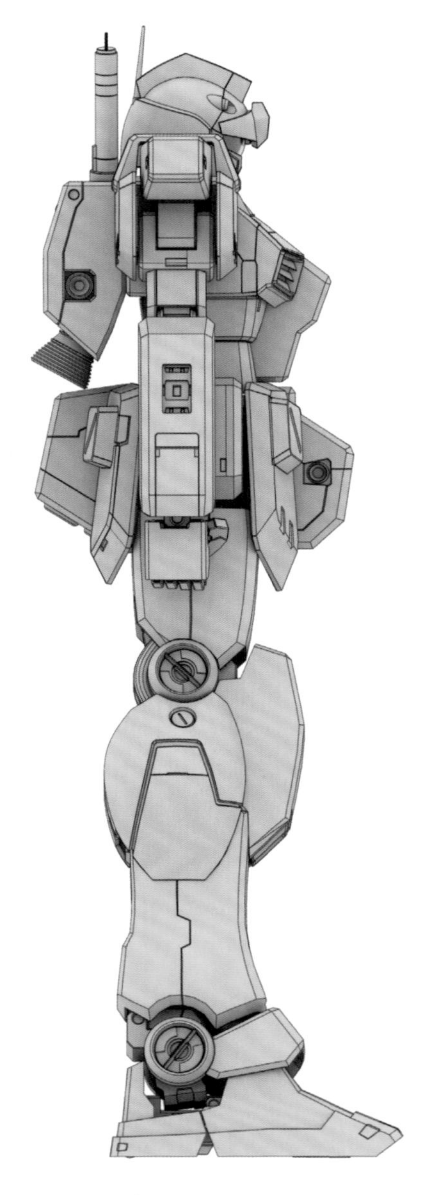

■右側面

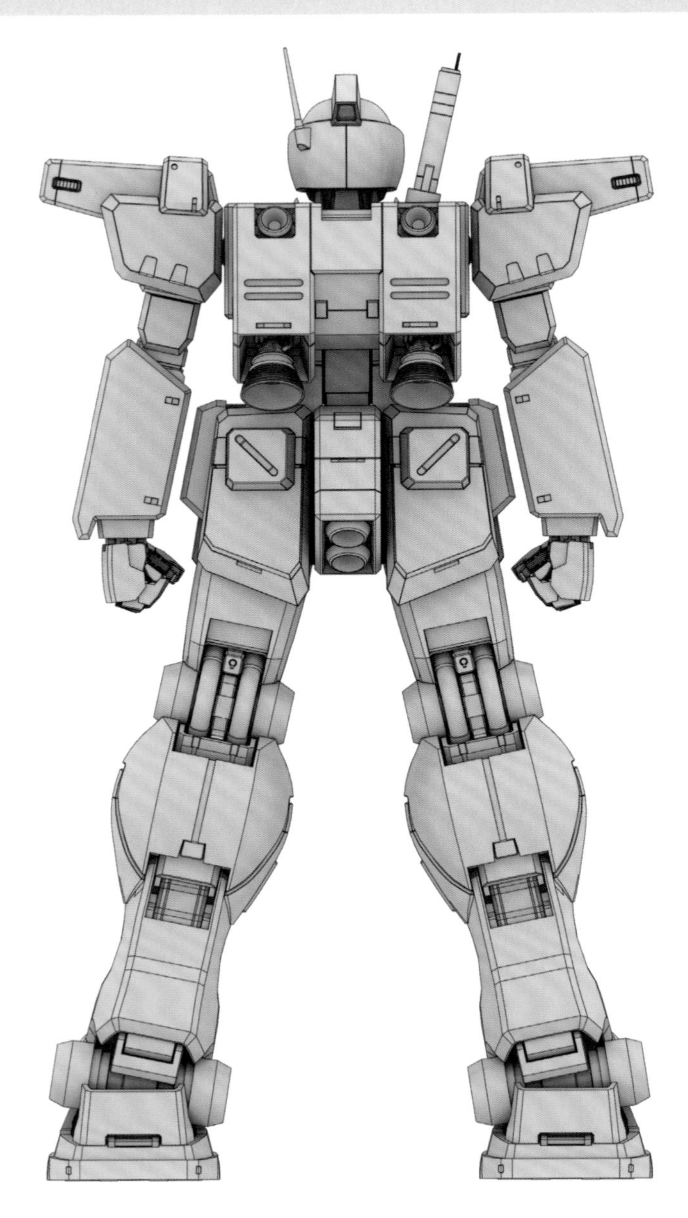

■背面

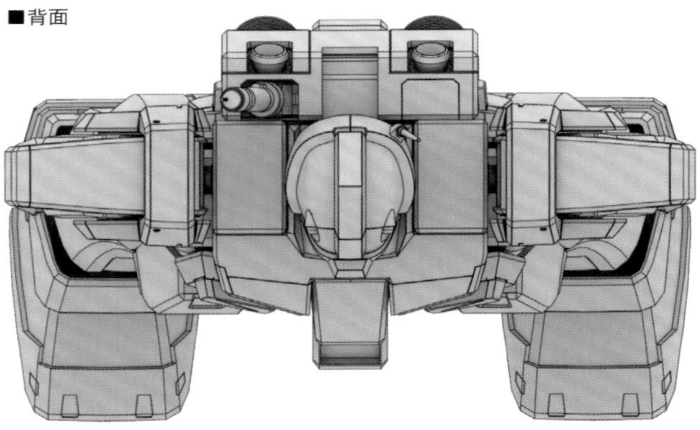

■頂面

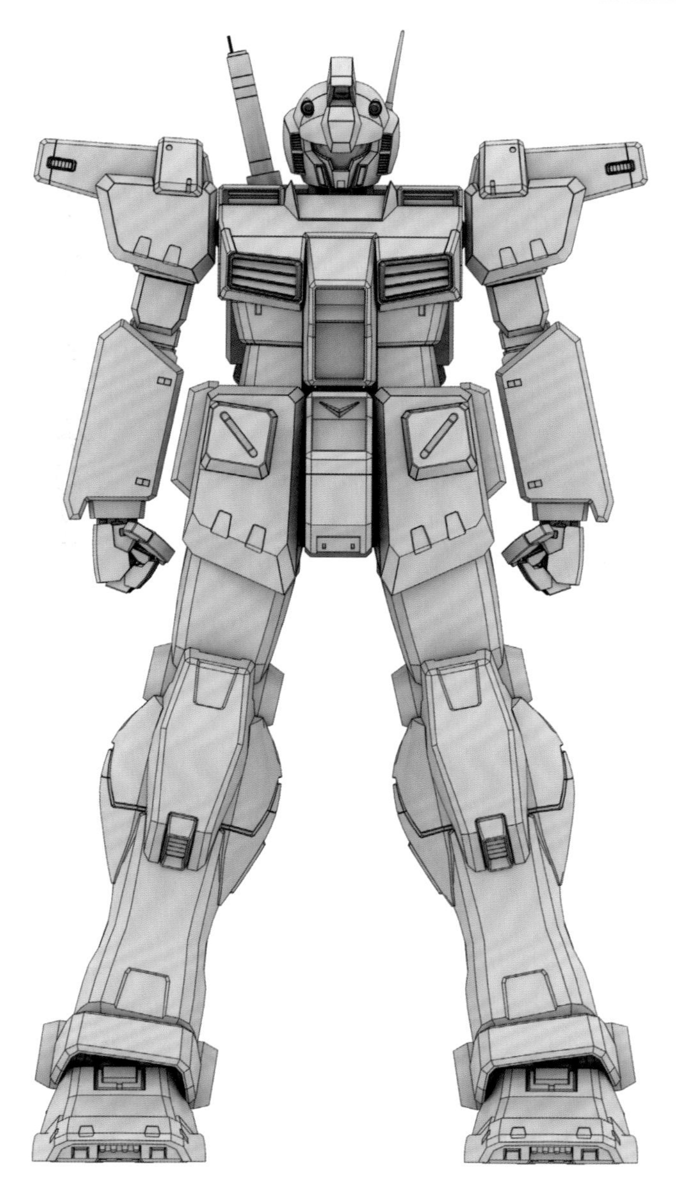

■正面

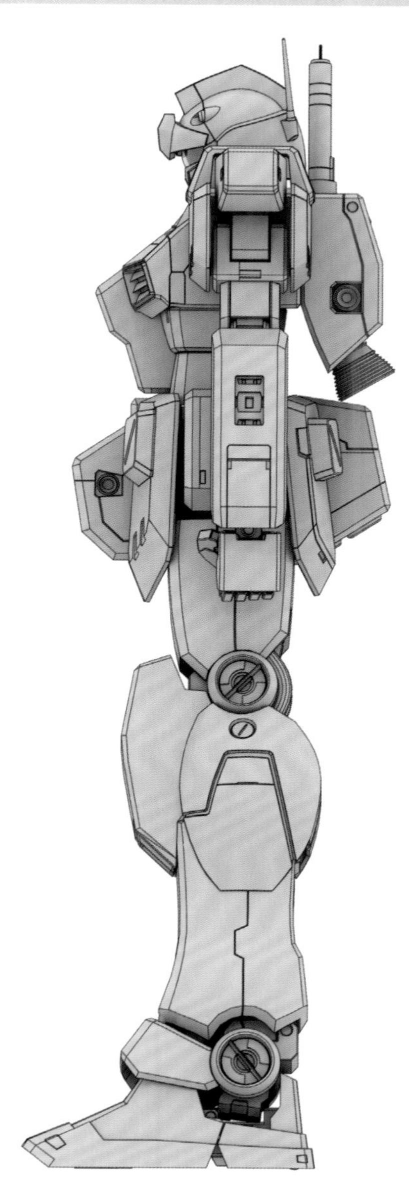

■左側面

■底面

RGM-79Q
吉姆鎮暴型

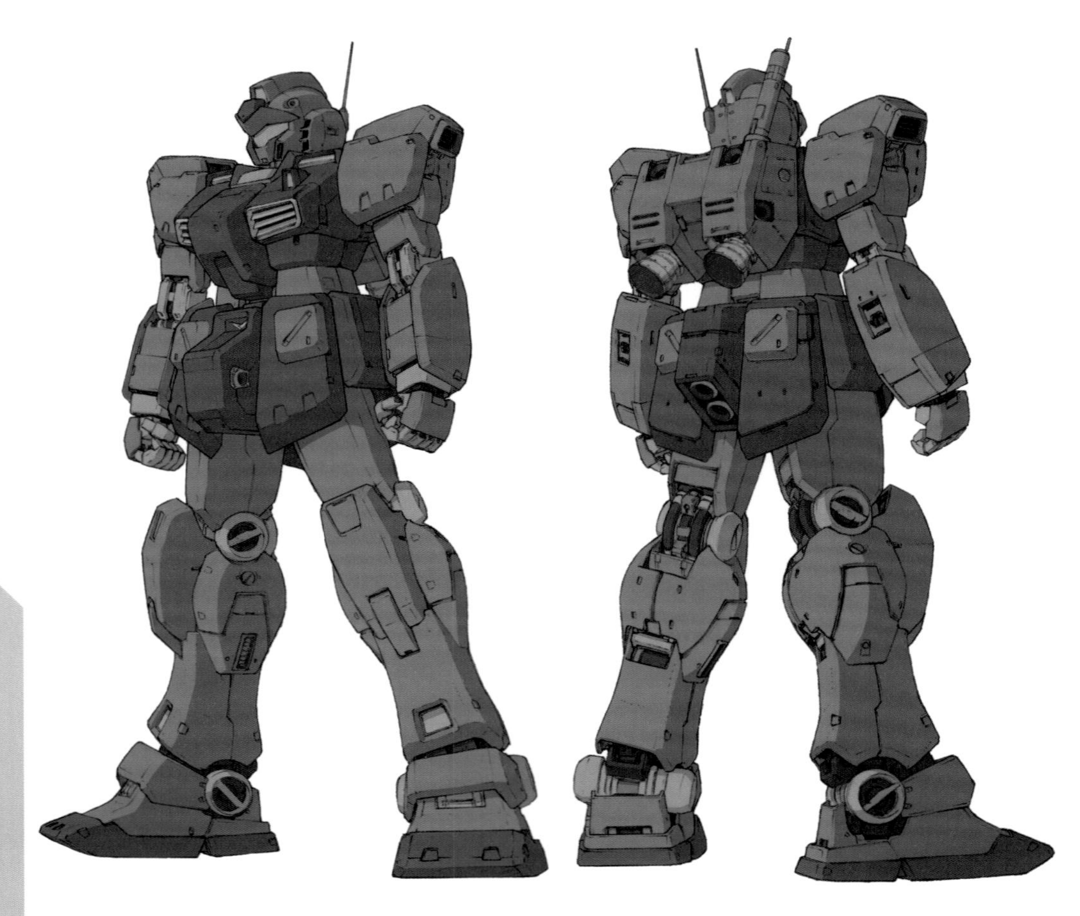

■RGM-79Q「吉姆鎮暴型」的配色模式之一。本機型是在迪坦斯的積極運作下開始部署，更採用了這種被稱為「迪坦斯配色」、深具象徵性的深藍色系塗裝，令組織內外都留下深刻的印象。

持續長達一年的大戰，令前線部隊陷入了混沌渦流中。歷經嚴苛的戰鬥後，各部隊理所當然陸續出現缺員的狀況，因此反覆透過現地徵召和整併部隊的方式補足缺額，然而這也造成高層單位難以正確掌握部隊實際編組的狀況。為了改正如此局面，軍方在戰爭結束後除了展開復員作業之外，亦同步著手重整部隊，更配合這些措施在各地陸續設立了新的MS部隊。

這類狀況當然也影響到運用的兵器上。到了戰爭後期，隨著反覆經由拼裝方式進行整備和施加前線修改，使得許多MS都失去了原有的樣貌。不僅如此，更有擄獲公國軍機體後拿來運用的例子，導致情勢可說是顯得極為混亂。在這種混雜各式MS的情況之下，比起戰鬥能力的問題，更嚴重的隱憂其實是在於對運用效率造成負面影響一事。因此在重整部隊的過程中，其實也有不少淘汰後的MS面臨送進廢鐵場的命運。這也是為了陸續汰換為C型和G型，以及N型這類戰後生產機。

然而，純粹仰賴這些通用機種仍終究會面臨無從對應的局面，因此作為合理部署計畫的一環，後來獲准研發了數種局地戰用的MS。RGM-79Q「吉姆鎮暴型」是這類戰後研發的局地戰用MS，研發目的是著重於對應殖民地內戰鬥所需。

在開戰初期的一週戰爭和魯姆戰役當中，有多個SIDE都遭到嚴重打擊，對聯邦政府來說，重建這些地方可說是最優先的要務。因此戰爭結束後不久，政府便啟動了「殖民地重建計畫」。這項計畫包含太空殖民地的修復工程，以及推動民眾重新遷住等事務。另外，不僅勢必得針對簽署終戰協定的「吉翁共和國」加強監控體制，如何維持太空殖民地的治安亦是一大課題。之所以需要著重於殖民地內戰鬥的Q型，理由正在於此。

然而這方面同樣也受到造價問題的限制。為了縮短研發期間，軍方高層決定以最新銳的通用機型，亦即以N型作為基礎，針對幾個重點調整設計，企求儘早使Q型達到實用階段。那麼，實際上究竟有哪些部位的設計經過更動呢？

Spec

規格

機型編號：RGM-79Q
頭頂高：18.0m
重量：39.8t
全備重量：56.3t
發動機輸出功率：1,420kW
推進器推力：61,480kg
裝甲材質：鈦合金陶瓷複合材質
武裝：頭部60mm火神砲×2
光束軍刀
吉姆步槍
光束步槍
護盾

RGM-79Q 吉姆鎮暴型

RGM-79Q GM QUEL

RGM-79Q
吉姆鎮暴型

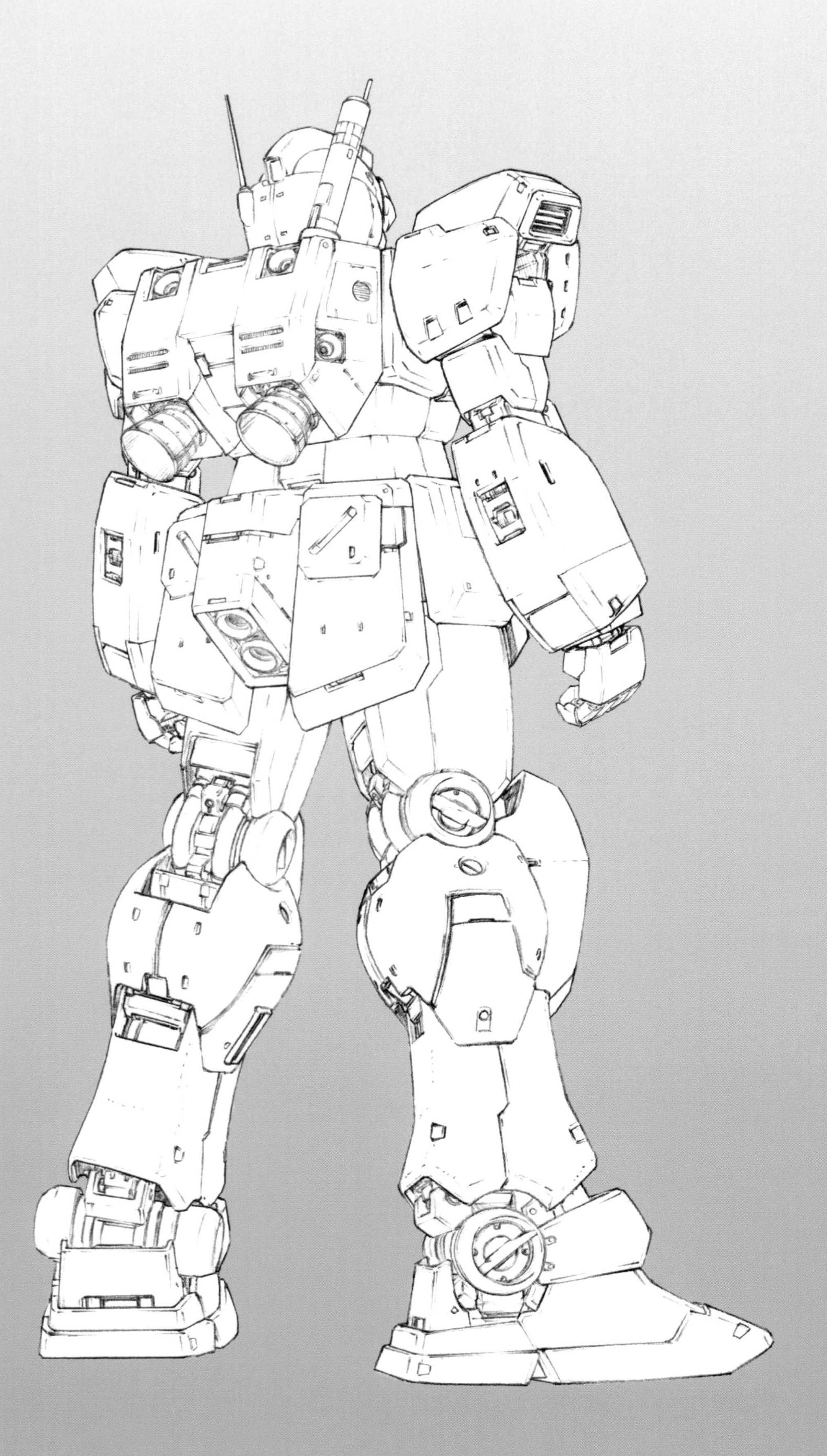

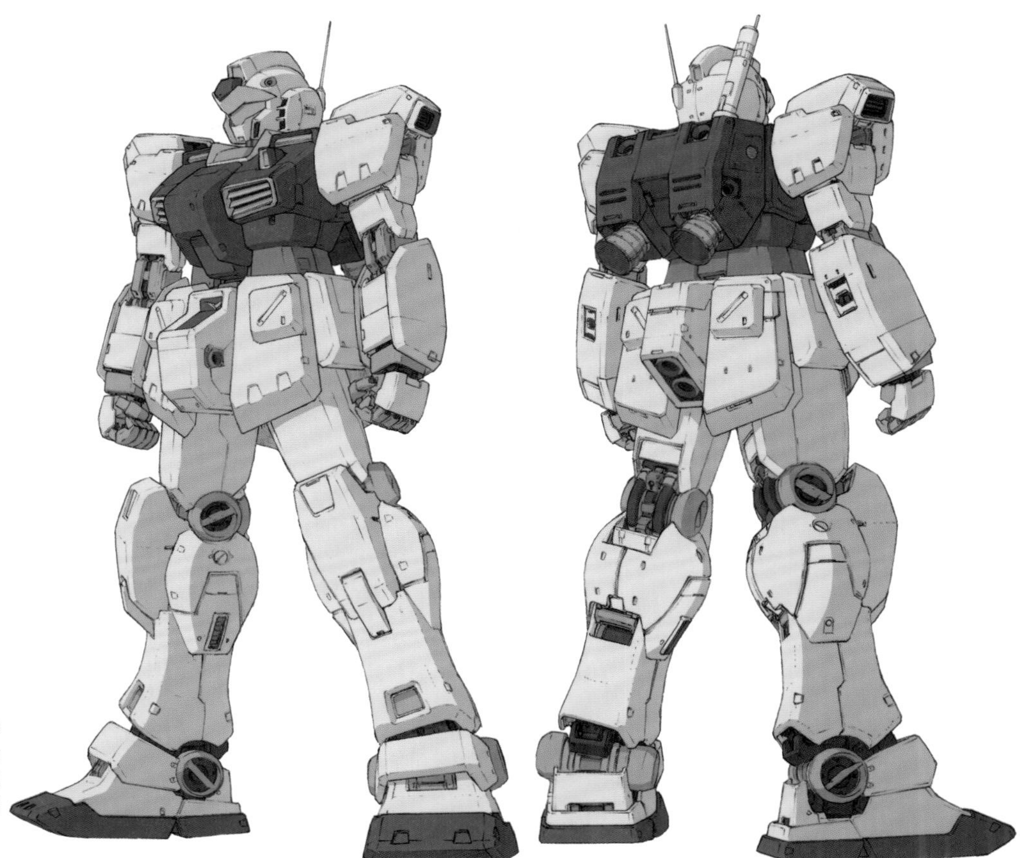

■RGM-79Q「吉姆鎮暴型」的聯邦軍標準配色。當這種機型開始分發給一般部隊時，迪坦斯早已引進更為新銳的機種，因此已稱不上是第一線級的MS了。

首先是基於在城市內運用的考量，省略膝裝甲處的推進器。另外，根據以往諸多在城鎮戰中碰撞到建築物的案例，於是將肩甲處推進器組件更換成較短的版本。

不僅如此，著眼於執行對人制壓戰的需求，除了在小腿處增設對地功能感測器之外，亦擴大了熱影像儀和動態感測器類裝置的有效範圍。駕駛艙一帶的裝甲形狀亦經過修改，目的在於提防登降時遭到狙擊，在必要之際也能以艙蓋為盾擋下攻擊。

如同前述，Q型的規格很明顯地是著重於在殖民地裡進行城鎮戰，自然亦針對這個明確目的採用妥善的設計。唯一的例外，在於採用被譽為簡易可動骨架的劃時代性構造之處，亦即臂部組件。這是一種將關節等可動部位與骨架結合為一體，並與裝甲完全分離開來的嶄新構造，可預期將藉此改善整備性和生產性。

就事前的模擬測試來判斷，這種方式理應具有十足的實用性，不過畢竟沒有前例可循，只能累積今後實際運用的相關數據資料，因此僅是實驗性地採用，並且將範圍侷限在不會加重負擔和負荷較少的臂部。

就結果來說，這種臂部組件連同屬於新規格的武裝掛架在內，普遍都獲得好評，堪稱是為日後採用全可動骨架式構造的第二世代MS奠定了成功的基礎。

RGM-79Q的運用實績

如同前述，Q型原本是基於合理部署計畫所研發的機體，不過就在出廠前後，治安維持部隊「迪坦斯」卻也於U.C.0083年12月正式設立，此事可說是大幅改變了本機型的命運。

原先Q型預定分發給負責維持殖民地治安的「SIDE駐留軍」。不過擁有極高權限的迪坦斯強行介入，取得優先部署權。由於Q型本身是當時最新銳的機型，對於主要任務為打擊反聯邦勢力的迪坦斯來說，這種對應殖民地內戰鬥的機型可說是完全切中他們的作戰需求。因此在Q型開始生產後，第一批機體便交給迪坦斯派系的部隊，進而分發給重巡洋艦「吉薩號」等第一線級的前線部隊。

附帶一提，本機型所參與的首場實戰，其實是在U.C.0084年4月30日於月面都市艾亞茲爆發的一連串戰鬥。當時由於在該市郊外的殖民地公社外包企業班格工業打算大規模裁員，所以反對此事的眾多從業員便在該公司設施舉行抗議活動。隨著自稱前員工的人員取得MS到現場助陣，舊公國軍殘黨勢力也趁機介入，導致場面演變得極為混亂，迅速發展成必須由軍警出面處理的規模。

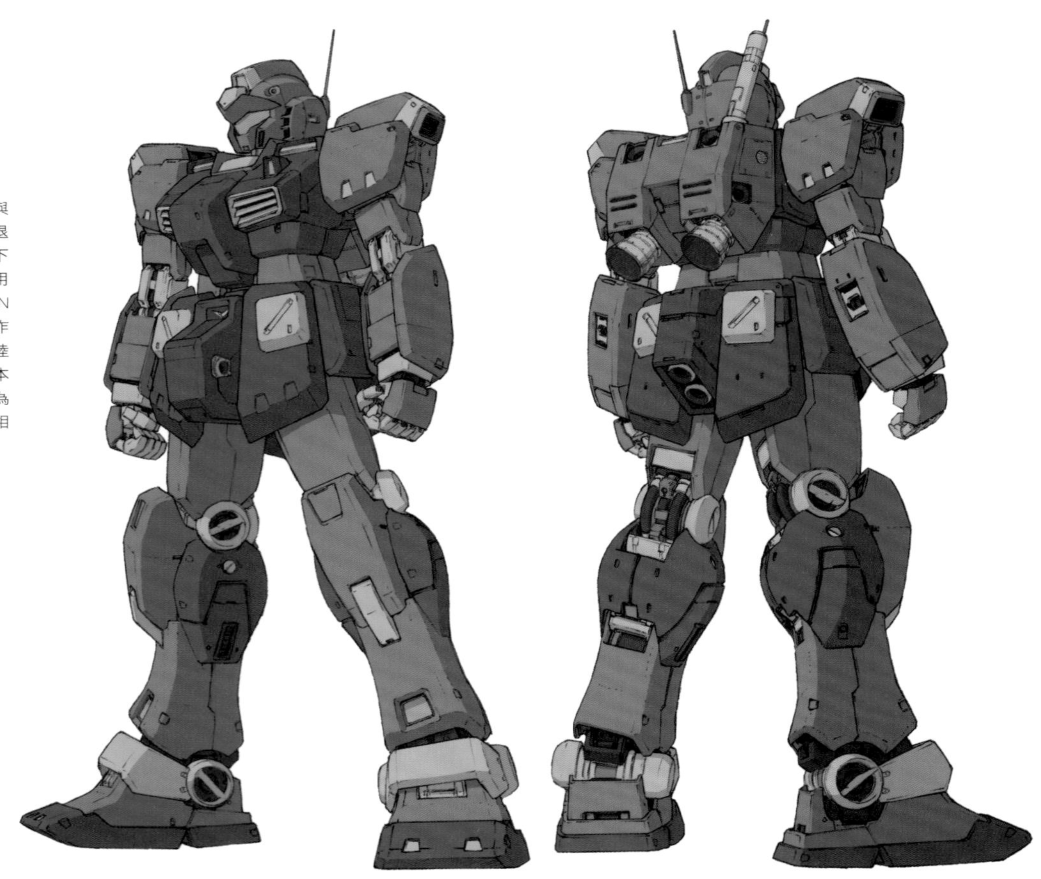

■RGM-79Q〈吉姆鎮暴型〉
第31教育中隊（迪坦斯）

Q型在格里普斯戰役時期已無從與第二世代MS相抗衡，於是陸續退出第一線，後來這些從前線退下來的Q型也轉為駕駛員訓練機的用途。由於是以訂定規格化概念的N型為基礎，因此本機型相當適合作為訓練機使用。對於當時正準備陸續部署新型MS的迪坦斯來說，本機型可用來培訓駕駛員，迅速成為可立即派上用場的戰力，可說是相當寶貴的機體呢。

那時趕往現場馳援的，正是剛好在進行Q型熟習訓練的迪坦斯所屬MS小隊。在佛特・羅姆斐勒上尉的指揮下，該MS部隊在僅僅五分鐘內就成功地鎮壓了由三架MS、五架小型MS組成的殘黨勢力。隨著這場顯赫的出道戰，本機型的評價當然也水漲船高，更令身為迪坦斯初期主力MS的地位變得更加穩固。

足以令Q型大顯身手的地點，其實並不僅限於殖民地內。由於原訂部署單位SIDE駐留軍同時亦擔綱太空殖民地周邊宙域的警戒任務，因此Q型打從一開始就設想到在太空中運用的需求。另外，和身為原型機的N型一樣，Q型亦可充分地在地球上運用；事實上，目前也留有在Q型機北美地區等處投入實戰的紀錄可循。就這方面來說，與其單純視Q型為「殖民地內戰鬥用的局地戰機型」，或許形容這是「亦可對應殖民地內戰鬥的通用機型」會更為正確。

然而，即使屢屢有著出色表現，沒過多久Q型就顯得落伍，這也是無從否認的事實。畢竟在擁有雄厚資金的背景下，迪坦斯接連引進了新型機種。U.C.0084年，作為RMS-106「高性能薩克」先行生產型的YRMS-106開始進行評估試驗後，迪坦斯隨即決定列為制式採用機種。僅僅不到一年的時間，Q型的主力MS寶座就受到威脅。

此時來自運用單位的反應相當有意思。前線部隊中不乏排斥新銳機種RMS-106的情形，導致汰換Q型的進度並不順暢——原因就出在RMS-106的主發動機運作頻頻出現差錯，導致使用光束兵器時可能引發多重故障的問題。事實上，亦有部隊提出希望繼續沿用已具備運用實績的Q型，或是經由改良，延長該機型使用壽命的申請，當然也有批准這類提案的例子存在。

然而，到了U.C.0087年，以反地球聯邦組織「幽谷」的武裝起兵作為開端，使得地球圈陷入內戰狀態，導致局勢變得截然不同。幽谷與迪坦斯雙方均加速進行兵器研發的競爭，第二世代MS也就此崛起。迪坦斯火速地接連投入RMS-108「馬拉賽」和RMS-154「巴薩姆」等新型通用MS；在如同遭到取代的局勢下，Q型也陸續被調派至後方執行任務。

因此在第一次新吉翁戰爭時，SIDE 1埃律西昂殖民地的駐留軍就留有運用本機型，與新吉翁軍雷傑多拉隊交戰的紀錄。當時的殖民地駐留軍為瓦爾特少校麾下部隊，由於他在格里普斯戰役時拒絕協助幽谷陣營，導致其部隊在該戰役後未能獲得分發最新銳的MS。

附帶一提，由於退出第一線，因此本機型有不少機體在內戰中殘存下來。在這類機體當中，亦有日後經由官方標售給民營軍事公司的例子。例如在U.C.0080年代後期至

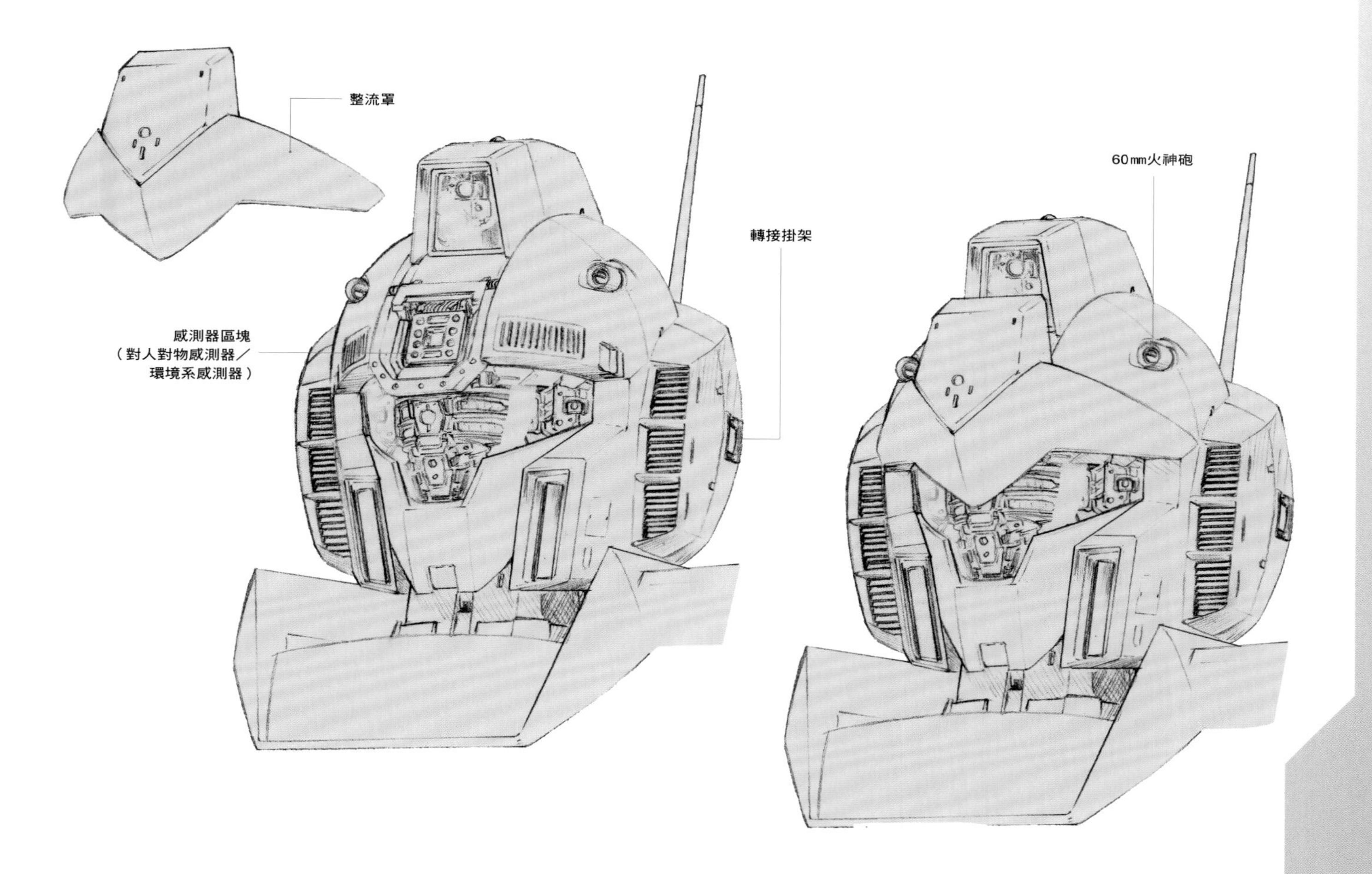

0090年代活躍的大型民營軍事公司「瑟蜜斯社」，正是這類Q型機體的使用者之一。

雖然Q型在性能上確實遜於第二、第三世代MS，不過以這類民營軍事公司主要的因應對象來說，多半還是以大戰時期生產機體作為武裝的公國軍殘黨勢力、部落民族游擊隊，或是武裝強盜之類的組織為主。因此只要稍加修改，並且妥善地整備打好基礎，Q型依舊能充分完成任務。

本機型乃是以掃蕩吉翁公國殘黨軍、維持殖民地內治安為主要任務而生產的局地戰用MS之一。雖然有局部文獻記載這是奧古斯塔工廠製試作機「RX-78NT-1」的量產機，但兩者的研發時期其實有段間隔，因此稱不上是純粹的量產機。尤其是在資訊流通受阻的時期，甚至流傳不少「Q型為N型兄弟機」這類傳言，這點更是助長了誤解。事實上，在以RGM-79N「吉姆特裝型」為基礎之餘，Q型機體亦經過全面性的重新設計，實質上已經可以算是不同世代的機體了。

儘管如同前述，本機型與奧古斯塔系機體有著密不可分的淵源，不過迪坦斯基於在地球聯邦軍內部揭櫫「地球至上主義」這種精英思想的立場，為了避免遭到亞納海姆電子公司之類外部勢力的影響，因此是交由月神二號工廠進行研發的。

頭部組件

就構成頭頂部主攝影機的感測器類裝置來說，在性能上其實和身為原型機的RGM-79N「吉姆特裝型」沒有太大的差異。不過設想到在殖民地內部戰鬥或投入城鎮戰的需求，因此也配備了組件化的對人對物感測器（運動物體、熱影像處理、非破壞成分分析），以及可觀測周圍環境是否有異狀的環境感測器。以這個感測器區塊為中心，亦增設可覆蓋住臉部透明護罩上側的整流罩。該整流罩與設置在頭部內框的冷卻機構相連，兼具冷卻管線的機能。

至於頭部搭載的火神砲，在純粹的MS對戰中被視為牽制用兵器。不過本機型的戰鬥範疇是設想成以城鎮戰之類的任務為核心，將對戰車、對人戰鬥等需求納入考量後，判斷在兵裝方面上的優先性必須高於既有機型才行，因此不僅增設既有機型未曾配備過的連射式射擊機構，還增加了裝彈總數。火神砲與周遭電子機器的散熱機材也經過重新設計，頭部側面強制散熱機構亦改為設置三具直列型的前方排氣式裝置。

另外，頭部側面外殼設有可供掛載選配式裝備的轉接掛架。該處除了可用來裝設煙幕彈發射器、連裝飛彈發射器、火神砲莢艙等選配式武裝之外，亦可用來設置高指向性的偵察用刃狀天線等裝備。

胸部組件

身體內部搭載1,600千瓦級的大型發動機。胸部內主骨架和胸腔安裝座的基本設計是源自RGM-79N「吉姆特裝型」，不過隨著臂部採用簡易的可動骨架，肩部關節安裝座也被迫大幅修改形狀。另外，由於駕駛艙採用360度顯示器式構造，因此上側框架的絕大部分也都更換成不同的零件。配合前述更動，胸部外殼裝甲在形狀上不僅修改了分割方式，就連傾斜角度也有著大幅的差異。側面艙蓋處還備有解除裝甲外殼扣鎖用的連線面板，當發生傾倒或拋錨之類的緊急狀況時，即可從外部經由該處排除外殼裝甲。

胸腔頂面設有溝槽狀的細部結構，這類部位其實是可供裝設柵欄式裝甲等外掛裝甲用的插槽，畢竟上半身是集中設置感測器的部位，才會特別規劃這種防禦手段。之所以追加這種規格，理由也是基於本機型不僅會用於對MS戰，亦有著應對游擊戰之類投入低強度紛爭地區運用的需求。U.C.0086年當各殖民地爆發反政府運動，聯邦軍派遣部隊出動時，相關新聞影片中就有拍攝到本機型配備了百葉窗狀柵欄式裝甲的身影。

至於在左胸頂面設置光學感測器的用意，其實是為了當頭部組件不幸遭到破壞，亦能在視野受到些許限制的狀況下維持基本機能不變。雖然在胸部頂面增設感測器同樣有著被直接擊中的風險，不過這麼做並不會影響到正面的投影面積，況且感測器整流罩和透明護罩的強度也都很高，駕駛員對這方面也就未曾特別表示過不滿的意見。但是確實也發生過極小口徑子彈在跳彈後，經詭異的角度侵入肩部，然後反彈擊中頭部的案例，研發團隊亦曾就這點重新檢討整流罩的形狀是否合宜。

胸腔左右兩側散熱口兼具姿勢控制噴嘴的機能。基於提高機動性的需求，風葉部位不僅採用三片式設計，亦加大開口部位的尺寸以及風葉的可動範圍，另外亦採用材質陶瓷－鈦合金複合式的高硬度合金，得以具備更高的防彈效果。附帶一提，頸部基座正面裝甲則是從既有的三片式構造更改為單一裝甲，整體的高度也調整得較低。如此一來，也稍微改善了可能阻礙頭部活動範圍的問題。至於襟領部位，則是將外圍整體都增高約200公釐，藉此提高頭部回轉台式安裝座的防彈性。另外，研發團隊還參考先前累積的相關數據資料，採用了剖面形狀具有高度跳彈效果的傾斜裝甲，這方面自然也針對避免跳彈後擊中頭部組件（尤其是主攝影機）進行一番確認，最終判定可發揮一定程度的效果。

以吉姆家族來說，中央組件的駕駛艙蓋在裝甲厚重程度上遠勝於以往。雖然採用上下開闔式的設計，不過真正的駕駛艙開口部位其實比下側艙蓋外形更小一號，以身高數值在平均範圍內的駕駛員來說，必須要屈身才能順利進出駕駛艙，此項設計用意顯然是保護駕駛員免於在城鎮戰中遭到狙擊。上側駕駛艙蓋內設有360度螢幕用輔助發動機和資訊分析裝置。另外，艙蓋頂面為兩片式構造，其上方靠近頸部處內藏有可供駕駛艙和搭載機材用的冷卻系統。

腰部區塊

在基本設計和零件調度方面和推進背包一樣，基於縮短設計期間和提高生產據點的效率起見，這部分維持了RGM-79N「吉姆特裝型」的原樣。不過駕駛艙系統打從一開始就是以採用360度螢幕為前提，導致與腹部相連接的回轉台式安裝環在直徑上產生變異，驅動馬達也因而換成尺寸更大的高扭力型號，但從外觀上無從看出這些更動。

推進背包

從外形上可以看出屬於RX-78NT-1「亞雷克斯」系譜的B784系統，有著在上側和側面各備有兩具姿勢控制噴嘴的設置方式，這點和RGM-79N「吉姆特裝型」一樣。畢竟該機型已經具備了相當高的可靠性和整備性，亦擁有十足的輸出功率，因此可藉由直接沿用主推進器系統，確保縮短研發期間、零件調度順暢無礙，以及順利建立製造產線，進而抵銷生產性上的不利之處，得以致力於機身主體的設計。

附帶一提，受到RMS-106「高性能薩克」和RMS-154「巴薩姆」等後繼機種比想像中來得更早問世的影響，據相關報告所言，本機型的主推進器等部位多半是自格里普斯戰役起才由前線部隊進行升級改裝。之所以

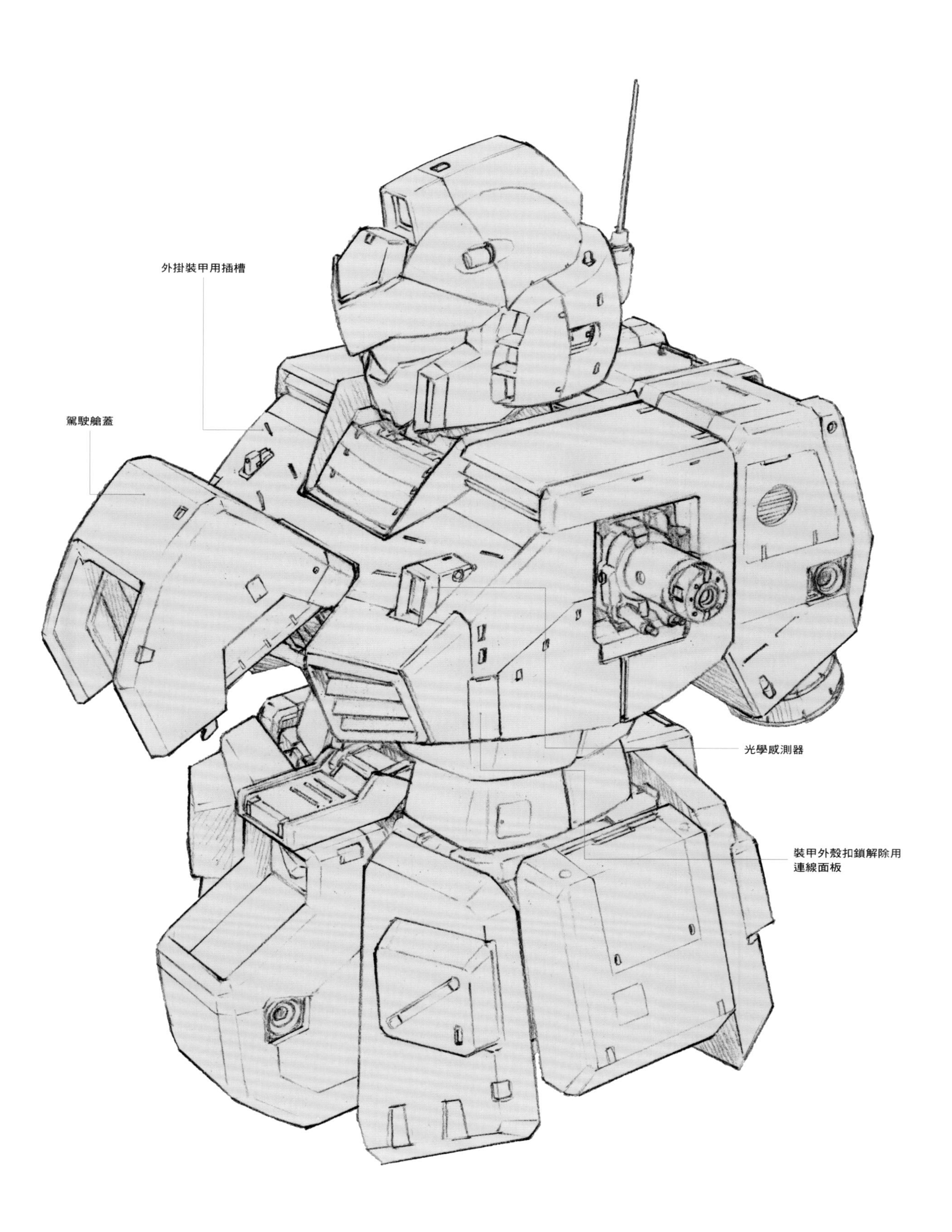
外掛裝甲用插槽
駕駛艙蓋
光學感測器
裝甲外殼扣鎖解除用
連線面板

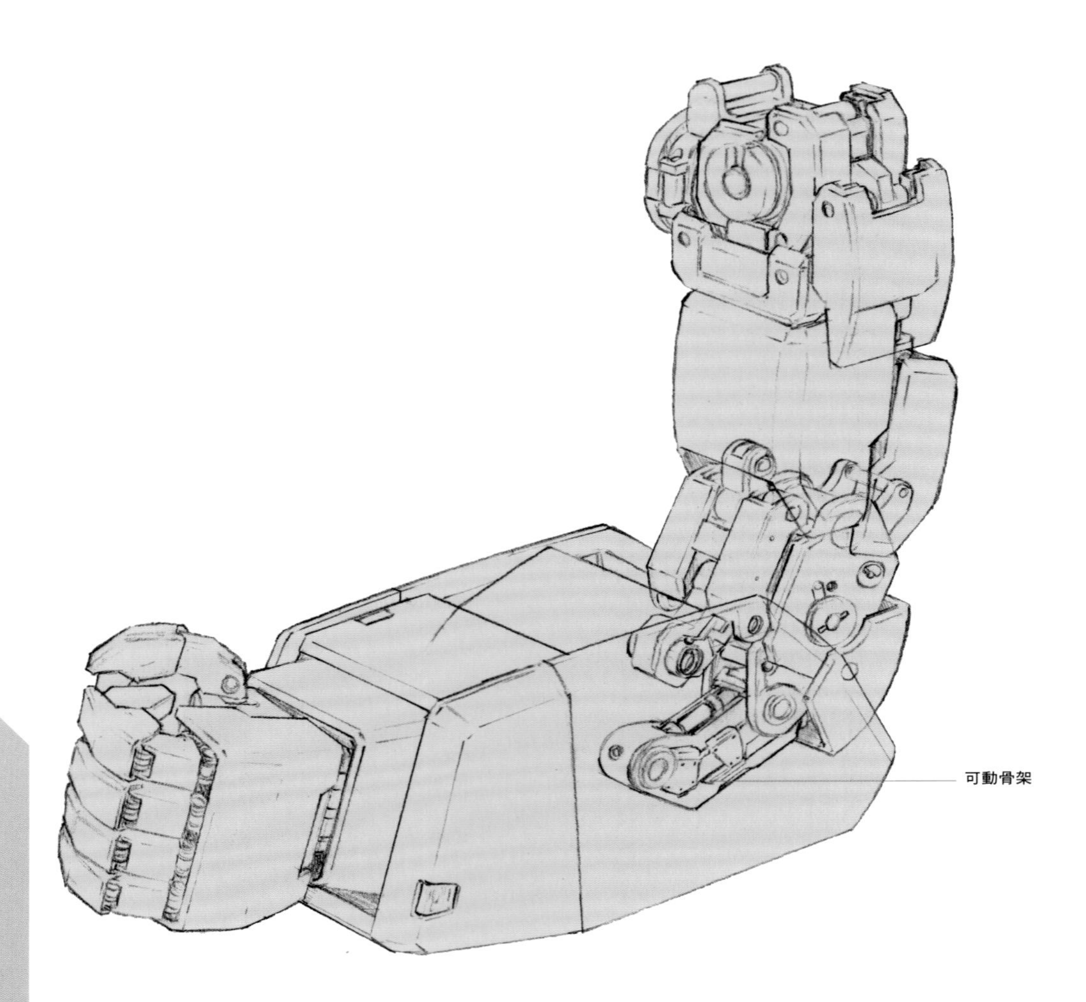

會出現這類情況，主要原因在於汰換機種對運用的部隊和駕駛員來說都會形成沉重壓力，再加上隨著零件統一規格後，得以拿最新型號的機材來換裝使用所致。

臂部／機械手

若是要列舉吉姆鎮暴型最具特色的部位，那麼絕對就非臂部組件莫屬了。研發時居於中心地位的研發人員，正是過去以經手研發RX-78NT-1「亞雷克斯」而為人所知、由盧蒙巴博士率領的團隊，但這件事卻鮮為人知。曾在RX-78NT-1展現過具體效益並獲得認可的機構，當然會經由進一步的試作與研究後積極採用，這可說是最正常的研發路線。如同歷史所記述，其中又以實現可動骨架這個構想最具關鍵性，這部分對於日後的MS研發來說亦是一大轉捩點。

話說本機型與既有機型的首要差異，一言以蔽之，正在於採用了可動骨架。藉由鈦系合金建構出既小巧又牢靠的骨架，一舉提高剛性，再加上為裝甲與關節活動建立起連結性能，使得這部分可隨著關節組件的活動而伸縮滑移，得以在將外露幅度控制在最低限度之餘，亦一併擴大可動範圍，這可說是與以往截然不同的構想。考量到對關節可動範圍造成影響，研發團隊必須審慎規劃設置方式，將力場馬達用傳導管線改為收納在骨架內，連接時也採用組件化的套管式設計；不僅如此，剩餘空間還能用來收納燃料槽，接著是在骨架上設置內框裝甲，藉此提高耐彈性。如此一來，使骨架與裝甲部位形同各自獨立的構造，因此有著易於整備的好處，真要一一列舉所有優點，可能會多到數不盡呢。

有別於過去純粹由平面構成的形狀，肩甲設有和緩的三維曲面，這方面應用了吉翁系的外殼一體成形技術。雖然過去基於生產性和造價面的考量，而放棄採用這類設計，不過本機型畢竟已預定交由屬於精英組織的迪坦斯使用，因此在研發資金上也相對較為充沛，這亦是得

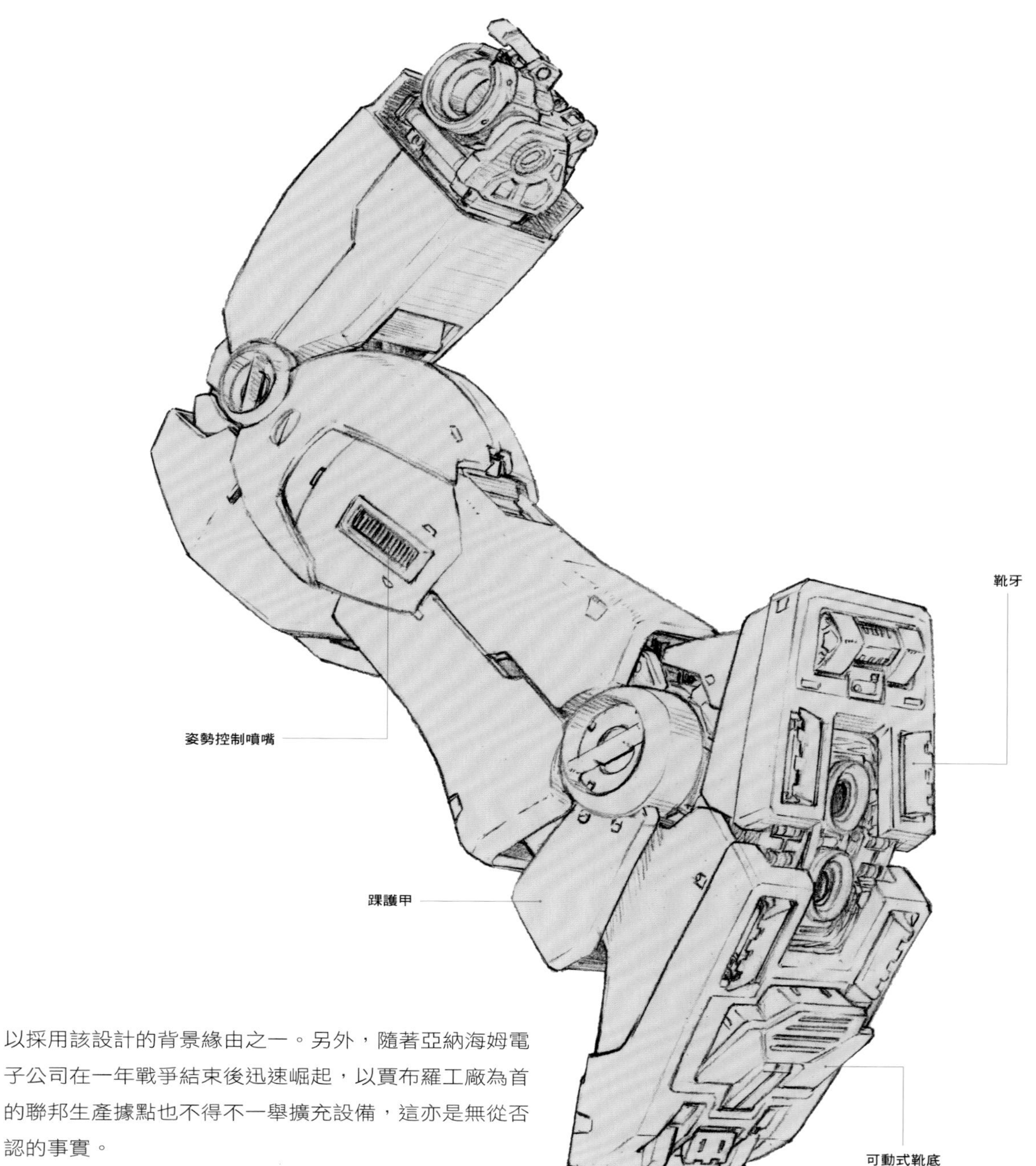

以採用該設計的背景緣由之一。另外，隨著亞納海姆電子公司在一年戰爭結束後迅速崛起，以賈布羅工廠為首的聯邦生產據點也不得不一舉擴充設備，這亦是無從否認的事實。

雖然肩甲側面推進器採用了固定式的組件基座，不過噴嘴內部風葉能進行從＋12度到－23度的方向調整，得以發揮推力偏轉機能。附帶一提，肩關節組件進行冷卻後，氣體會經由管線往設置在這組推進器外圍的溝槽排出，前後兩側裝甲板下緣的凹槽部位則是壓縮空氣用排出口兼姿勢控制推進器。

雖然本機型的臂部採用可動骨架機構，不過全身都是由可動骨架構成的MS，卻是要等到U.C.0086年才問世。本機型只有肩部以下的臂部組件以試驗性質的方式採用可動骨架，以便投入量產層級的運用。不過後繼機種RX-178「鋼彈Mk-II」並未沿襲這種機構與設計特色，反而走了回頭路。演變成這種狀況的理由存在著諸多說法，其中最具說服力的，就屬可動骨架與從既有技術發展出的磁力覆膜結合時，不僅導致零件總數增加，以及組裝流程更為複雜的問題，就連可動範圍和處理速度等性能面上的優勢，也無法比其他吉姆系列高出多少這個說法了。

腿部組件

本機型沿用了RGM-79N「吉姆特裝型」的腿部骨架構造。不過如同前述，關節部位其實也經過補強。除此之外，不僅撤除了膝裝甲下側的推進器噴嘴，就連裝甲

CAUTION/MODEX : RGM-79Q

RGM-79Q 警示標誌／識別編號

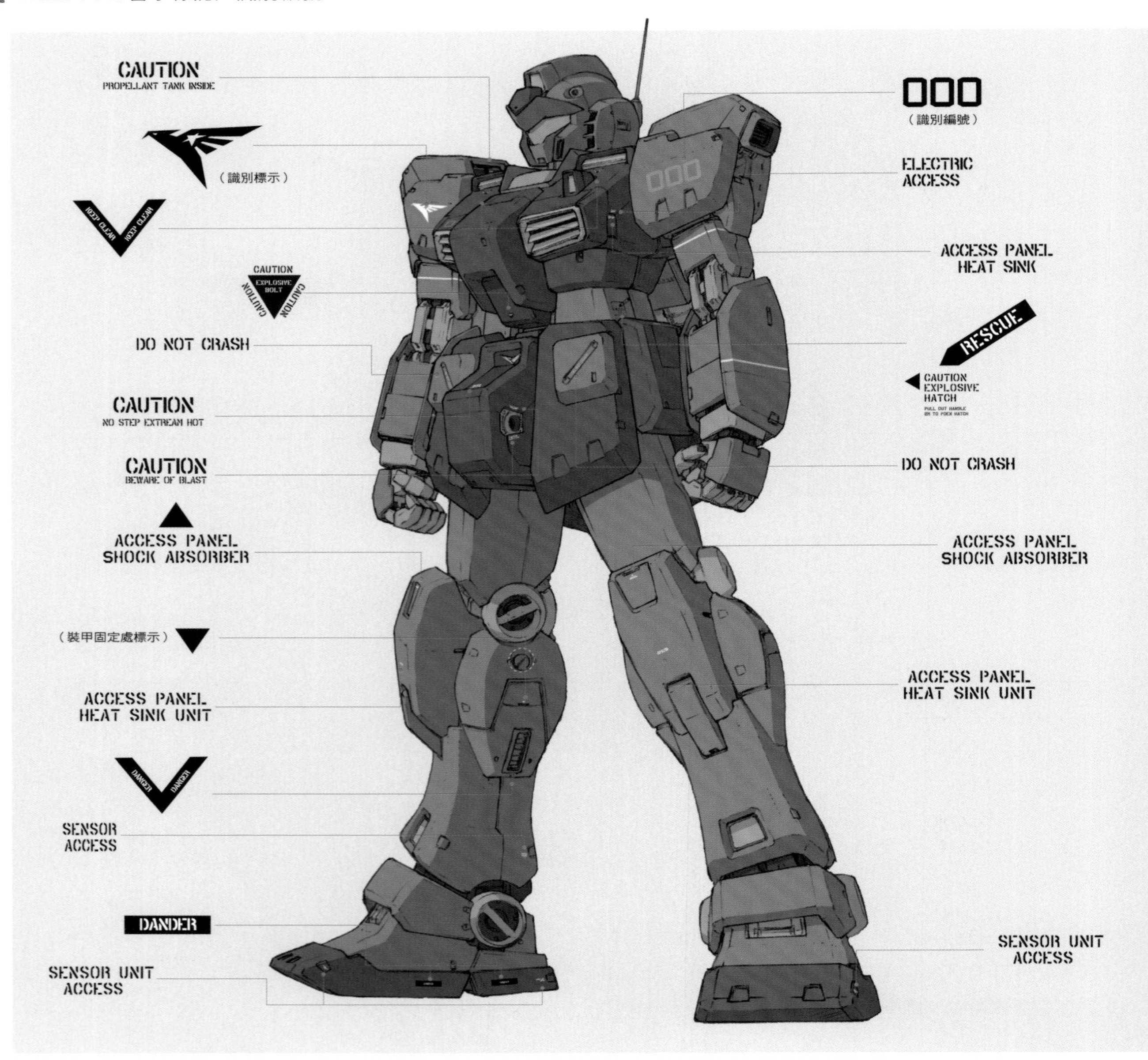

形狀也經過重新設計，改成具備更高強度的單片式構造。配合前述修改，膝蓋正面進氣口的形狀也同步更動，重新設計吸氣處的截面形狀，一舉擴大開口部位。小腿肚內側的推進器噴嘴雖然並未修改噴嘴形狀，內藏的推進器卻也有更動，連帶使小腿肚處裝甲形狀的曲率產生變化。小腿肚背面接合處設有通往主骨架的開口，該處具備了可直接設置圓柱狀增裝燃料槽的連接掛架機能。在預料到可能會因為空間戰鬥等局面而必須大量消耗燃料時，即可使用這類選配式裝備。

設想到可能會與非MS部隊進行地面戰鬥，研發團隊也在小腿正面增設感測器。為了設置該器材，因此廢除小腿骨架原有的燃料槽，以便改裝設感測器。另外，從膝蓋處進氣口吸入空氣後，通風管道會分歧開來，以便同時用於冷卻感測器，以及供小腿前後兩側的姿勢控制推進器使用。不僅如此，腳尖處亦增設這類姿勢控制推進器，得以做出更流暢的線性機動行進。隨著增設這些姿勢控制推進器，無論是在重力環境下還是空間戰鬥方面，駕駛員也都更易於駕馭機動行進。不過，上述修正其實也代表自MS研發黎明期誕生，靠著揮舞手腳產生反作用力的機體控制技術「AMBAC」在實戰中難以進行細膩操作一事。AMBAC機動的效用確實不容忽視，但與其一邊演算每分每秒都發生變化的燃料和攜行火器

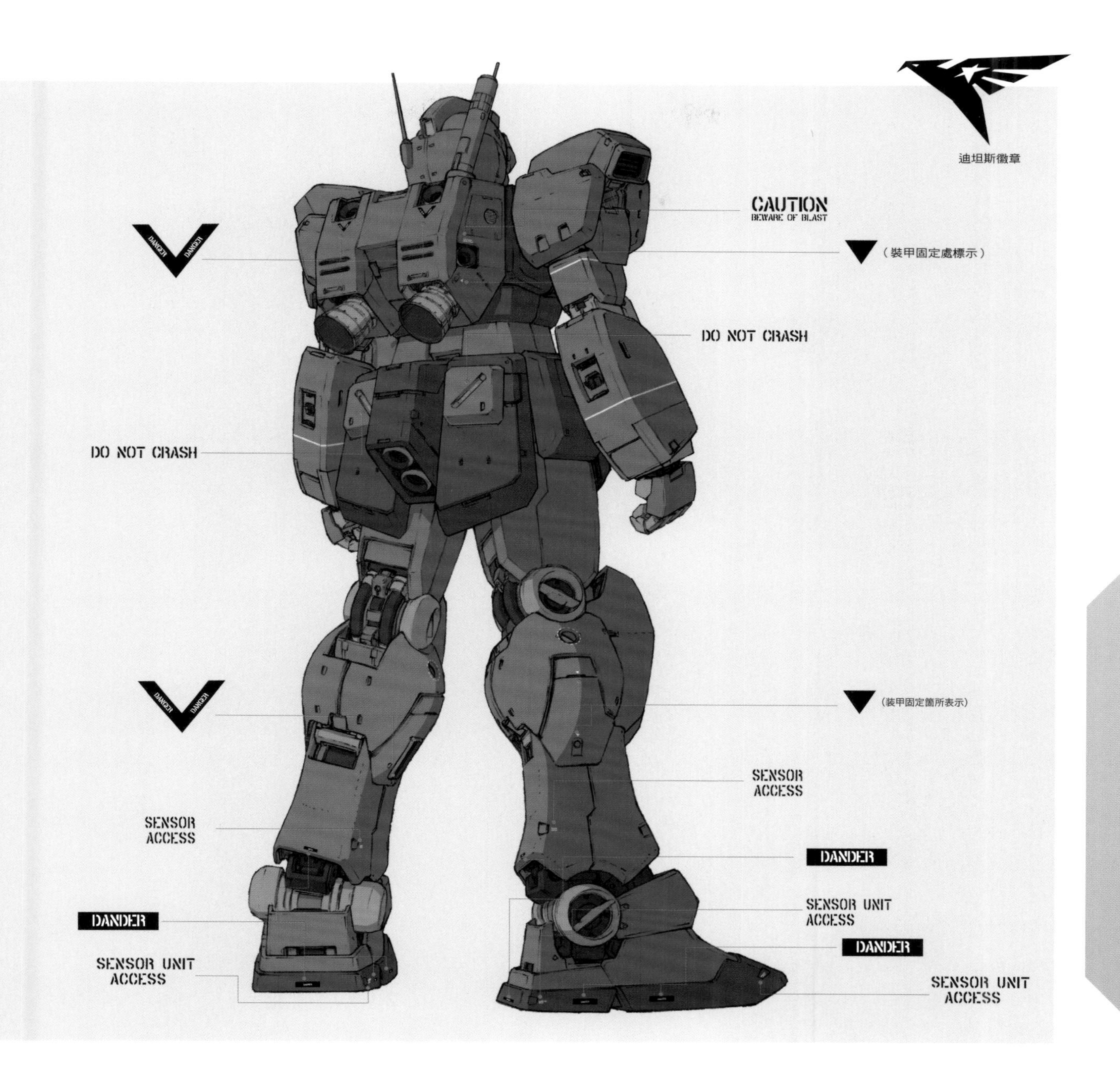

質量差異等複雜變因，一邊揮舞四肢進行機動，倒不如純粹地運用推進器噴射來控制機體，這樣反而更易於駕馭，而且也更為可靠，想必不會有人對這個結論抱持異議才是。畢竟想要憑藉AMBAC這項極為特殊的操縱技術進行戰鬥，恐怕只有極少數具備出色技能的駕駛員才做得到。

讓我們回過頭探討機體本身。考量到在重力環境下運用時會大量消耗燃料的需求，本機型亦將增設燃料槽納入評估。雖然RGM-79N「吉姆特裝型」就已經在大腿背面設置了燃料槽，不過本機型卻是進一步在小腿肚至小腿的骨架側面，以及背面的主骨架上都設置燃料槽；而且為了與內框相吻合，小腿肚處外殼裝甲的左右後側也增加分量。經此調整後，機體的重量增加了8%，正面的投影面積亦增加了4.65%。修改裝甲形狀確實也對姿勢控制推進器等處造成影響，不過除了主推進器以外，其餘部位採用的均是壓縮空氣式機構，相關管線亦能透過插槽予以延長，因此此設計對於催生這類小幅度修改機型其實也頗有助益。該裝備的機材編號為R84-fk，之所以會被認為隱含著Fk（FAT-knee，即大膝蓋）意思，理由正在於其外觀。儘管本機型的運用期間較為短暫，在各種媒體上卻也偶爾能看到採用了Fk裝備的機體。

PROJECTION VIEW : RGM-79Q

RGM-79Q圖面

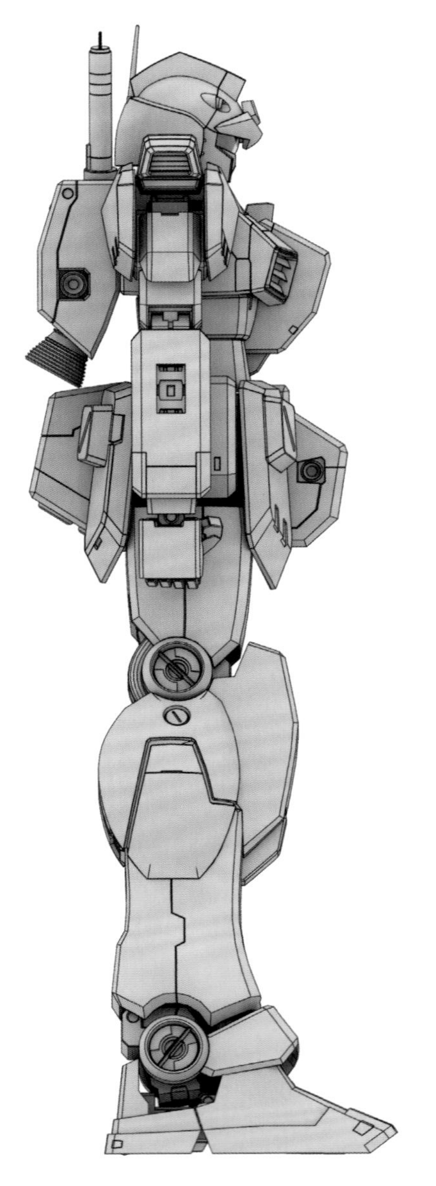

■右側面

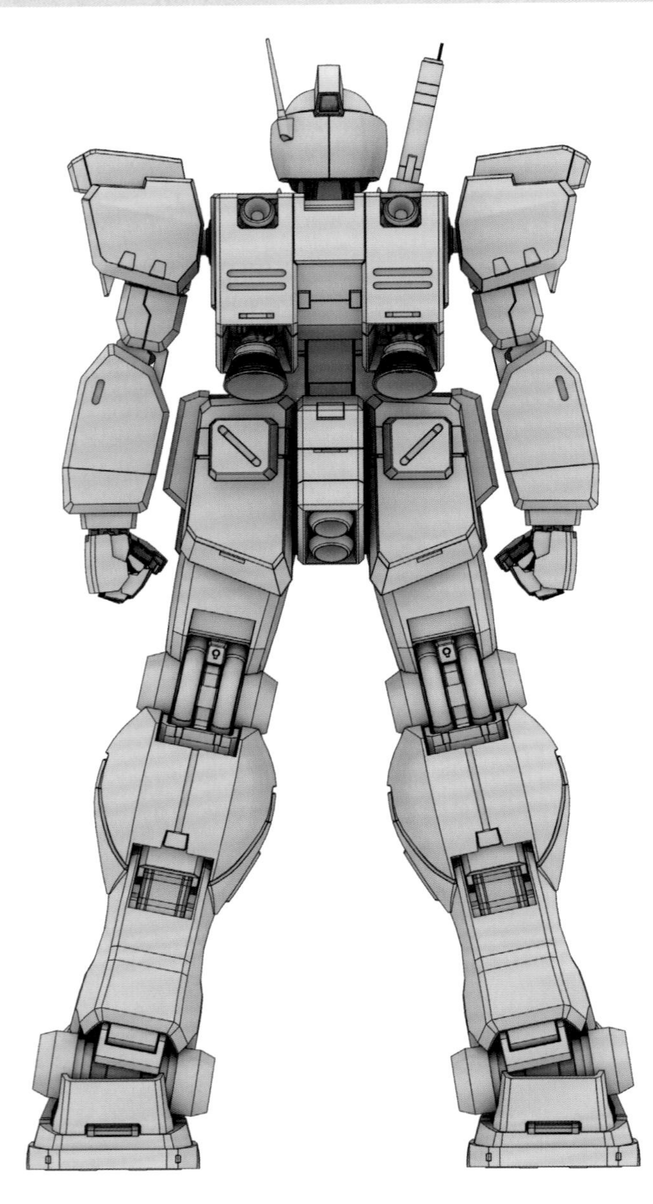

■背面

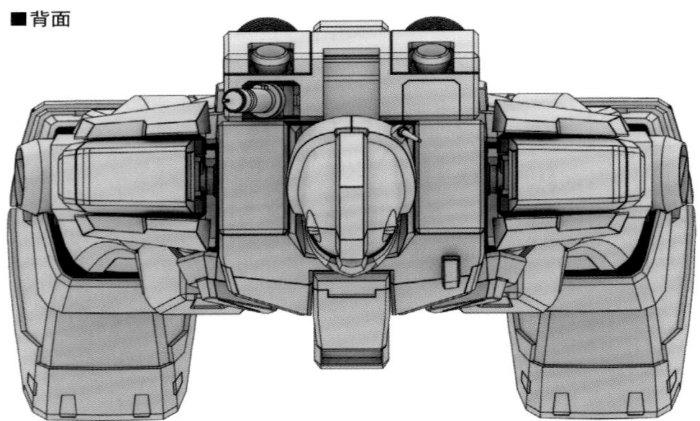

■頂面

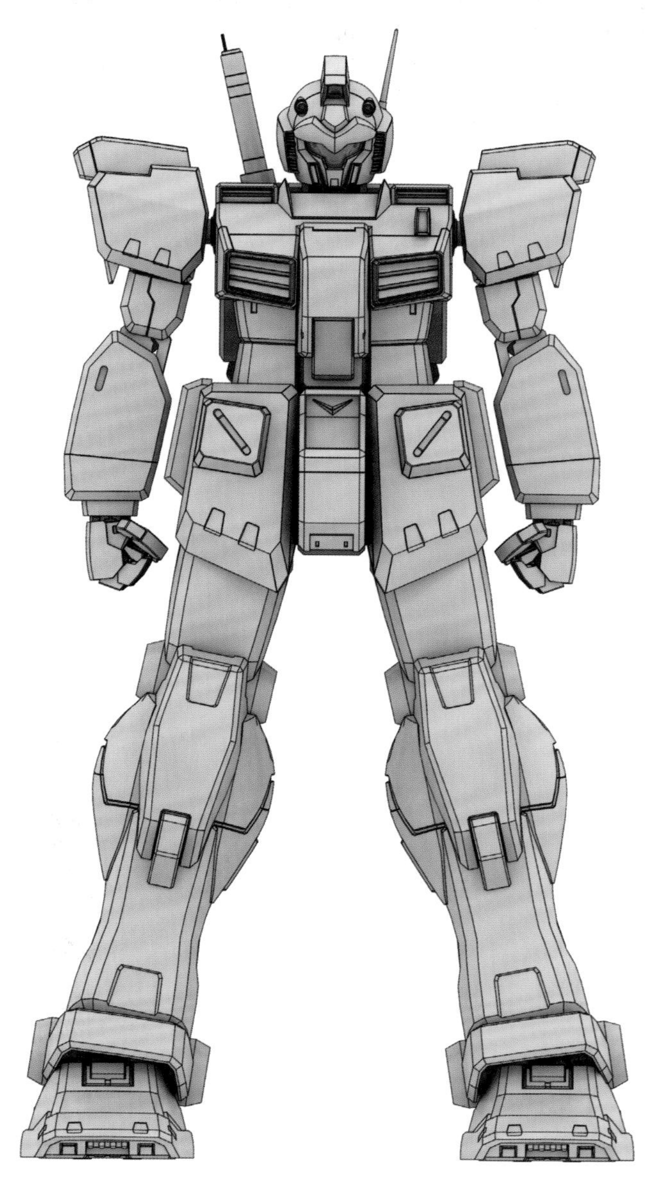

■正面

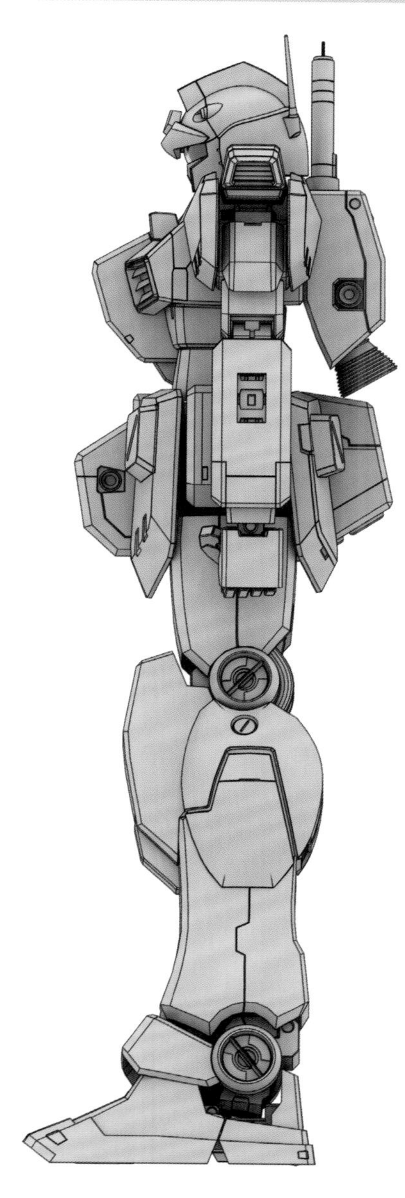

■左側面

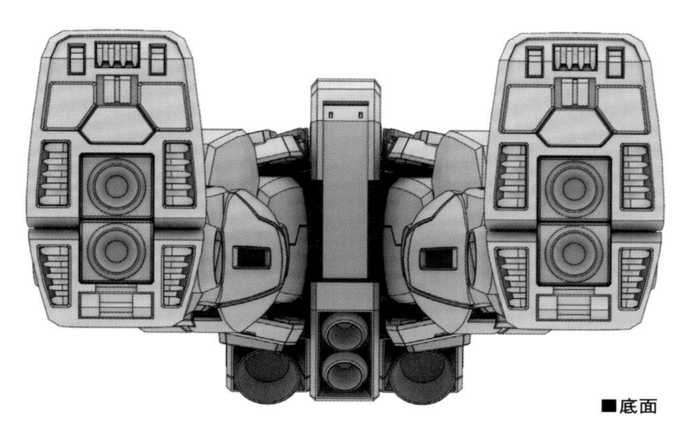

■底面

作為實驗機的奧古斯塔系機體

戰後導入奧古斯塔工廠的技術，成功研發出N型和Q型。即使這類機體是由賈布羅工廠投入生產，卻依舊俗稱為「奧古斯塔系」機體，而且曾一度居於聯邦軍的主力MS寶座。

正因為如此地位，後續也作為次世代機種的測試平台使用，並且製造了多種實驗機。

舉例來說，在進行「GP計畫」（鋼彈開發計畫）的過程中，亞納海姆電子公司就曾以N型為母體製造出改造機，藉此作為RX-78GP01-Fb用新型推進系統的測試平台。該機體被賦予了RGM-79N-Fb這組機型編號，除了在推進背包處增設為GP01-Fb而研發的全方位推進器莢艙之外，腿部組件也搭載了新型推進系統，對於收集各種數據資料有所貢獻。

官營工廠當然也有運用奧古斯塔系機體作為實驗機的母體。U.C.0084年於金平島工廠研發的RX-121「鋼彈TR-1海茲爾」，正是具代表性的例子。

200
20
200
200

RX-121
鋼彈TR-1〔海茲爾〕

■RX-121「鋼彈TR-1海茲爾」至今仍有許多不明之處，無論在能力、形狀、配色等各方面都未能取得相當明確的資訊。圖中這種以白色為基調的配色，亦是統合相關零碎資訊後，基於「或許也有這種配色模式存在吧」的推測予以呈現。

大戰後期，聯邦軍從吉翁公國軍手中奪下宇宙要塞「所羅門」之後，隨即將該處更名為「金平島」，並且作為進攻「阿・巴瓦・庫」的立足點。即使到戰後，聯邦宇宙軍也依然持續駐留金平島，把該處視為太空的重要軍事據點之一進行運用。其運用範圍並非只是純粹作為艦隊戰力的停靠港，更在不久後設置官營兵器工廠。隨著該處被賦予了「12」這組據點編號，金平島工廠也就此誕生。

到了U.C.0083年年底，金平島成為迪坦斯的活動據點，附設的官營工廠也隨之擔綱提供該部隊使用的裝備研發作業，以及相關評估試驗。在這種情況下，金平島工廠於隔年所製造出的第一架實驗機，正是賦予了RX-121這組機型編號的MS。

這架機體是以當時對迪坦斯來説最新的機型，亦即Q型為基礎，經由搭配各式新型裝備和裝置而成，接著更反覆施加修改，整體面貌可説不斷地持續改變。然而隨著內戰爆發造成的混亂局面以及迪坦斯勢力瓦解，導致諸多資料散逸，因此有許多詳情無從確認。

現存為數不多的資料來看，頭部組件搭載雙眼式感測器，亦即採用俗稱「鋼彈型」的組件。就一號機來説，肩頭頂面配備可供輔助肩關節部位動作的輔助促動器組件，以對應臂部組件的負荷。隨著該設計的採用，本機行得以運用更具重量的大型攜行式火器。

不僅如此，腿部組件亦設置內含熱核火箭引擎的增裝推進裝置，背部也裝設連接可動式推進器莢艙的推進背包組件，各有不同改裝，得以大幅增強推力。但各種強化零件也導使機體重量增加，衍生出難以駕馭的問題，因此亦有駕駛本機需要高度操縱技術才行的證言。

如同前述，一號機徹底施加了各種強化和修改，但相對地，作為備用機而製造的二號機卻僅更換了頭部組件。不過擔綱運用二號機的T3部隊（迪坦斯測試部隊）在參與實戰後，亦對這架機體施加各式修改，包含增設輔助促動器組件，以及在背部搭載「三重推進器莢艙」等更動。話雖如此，這些裝備中亦不乏在實際運作數據

Spec

規格

機型編號：RX-121
頭頂高：18.1m
重量：42.1t
全備重量：65.4t（裝設三重盾形推進器時）
發動機輸出功率：1,420kW
推進器推力：65,530kg
裝甲材質：鈦合金陶瓷複合材質
（局部為月神鈦合金）
武裝：光束軍刀
多功能發射器（選擇式）
光束步槍
護盾
盾形推進器
頭部火神砲莢艙

RX-121 鋼彈 TR-1〔海茲爾〕

RX-121 GUNDAM TR-1 [HAZEL]

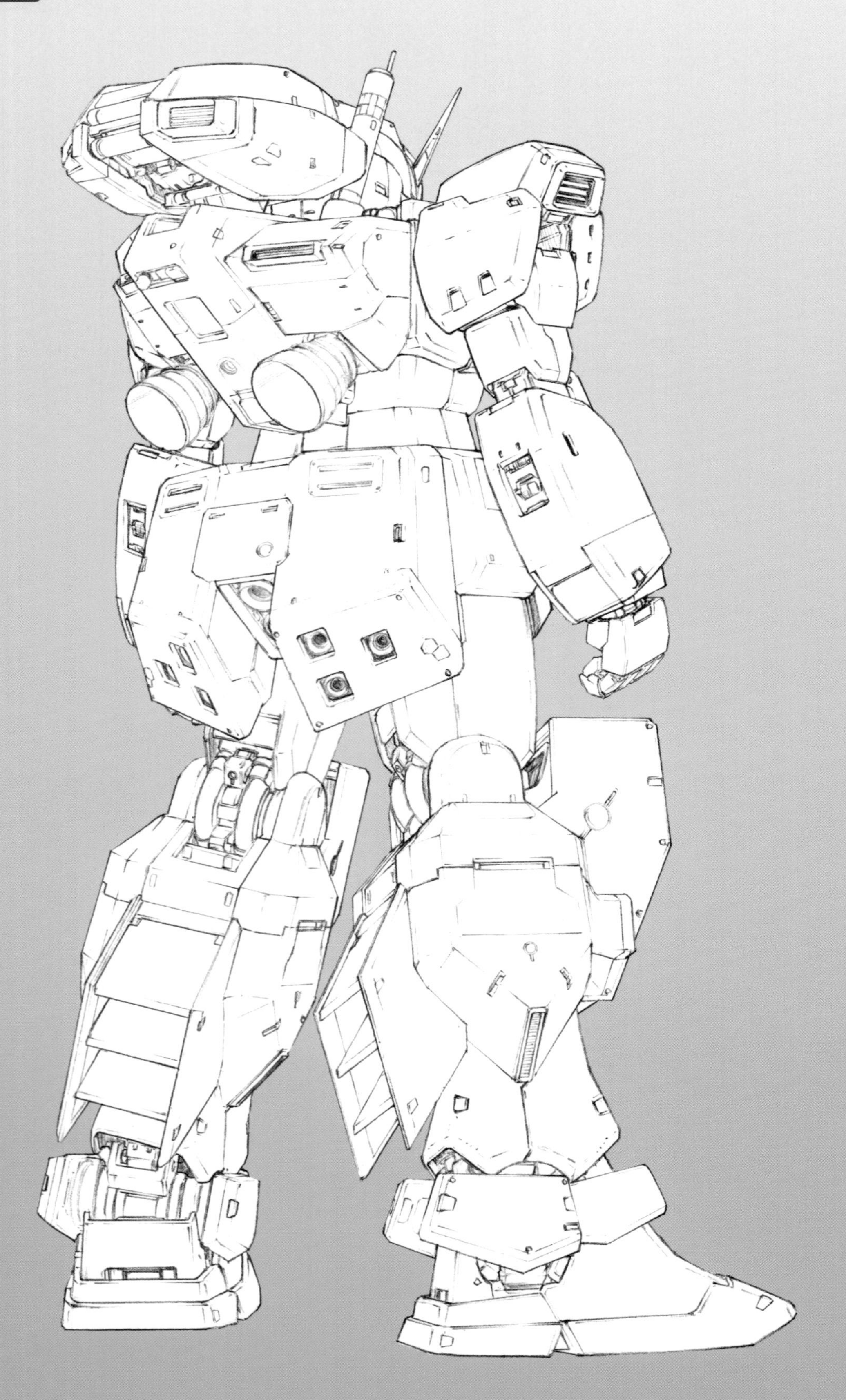

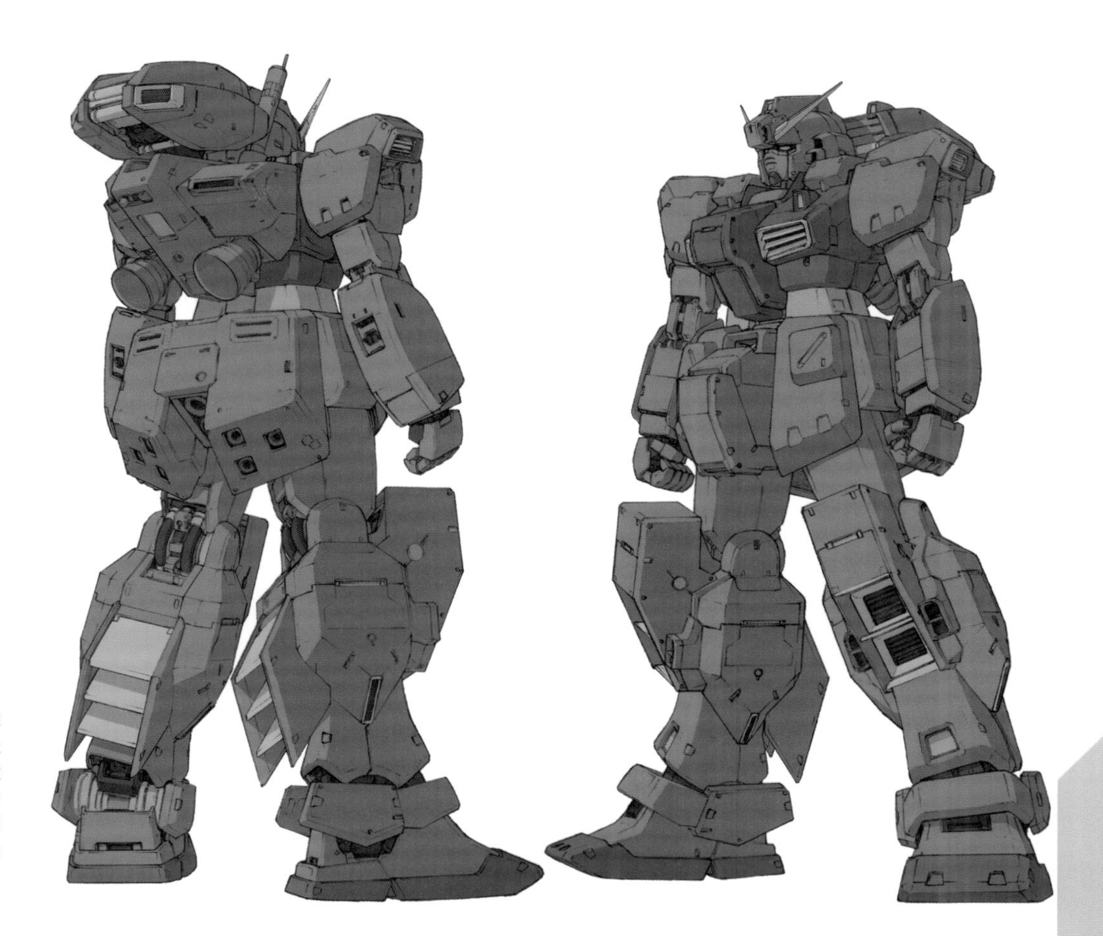

■如同前述，RX-121「鋼彈TR-1海茲爾」至今仍有諸多未解之謎，經過徹底修改的1號機，更有資料指出後來被稱作「海茲爾改」。這架機體亦有留下參與實戰的紀錄，當時正是塗裝成迪坦斯配色。

資料收集完畢，或是在測試過程以及戰鬥中發生受損等狀況後就立刻拆卸掉的例子，同樣會隨著運用時期不同而呈現相異規格。因此本書收錄的重現圖只能說是反映某個時期的面貌，尚請諒察。

「海茲爾」這個機型似乎生產了數架，在「色當之門」也曾確認到有同型機體部署於該處。另外亦有僅為紙上方案的機體存在，甚至還一路規劃到3C型。

尚有說法指出，撤往火星的新吉翁殘黨軍也有使用同型機體。

奧古斯塔系機體的遺產

以N型為開端的戰後世代「奧古斯塔系」MS，在戰後也締造了一定程度的功績。然而Q型實驗性地採用的「骨架與裝甲各自獨立」的構想，後來卻以可動骨架的面貌開花結果，催生出了第二世代MS，使得屬於半單殼式構造這種傳統設計的奧古斯塔系MS無從繼續發展下去。

不僅如此，奧古斯塔工廠本身也因為該地設置新人類研究所，於是轉而致力於研發引進腦波傳導技術的實驗機，逐漸淡出了研發通用機的舞台。宛如遞補空缺般，自U.C.0080年代中期起，在以大量生產為前提的通用機研發領域中，屬於月球資本的亞納海姆電子公司展露頭角，最終成了該領域的要角。

由於迪坦斯並不樂見亞納海姆電子公司擴大影響力，因此指示屬於官營工廠之一的金平島工廠以Q型為母體，投入製造實驗機。雖然後來確實做出幾種量產評估用的試作機，卻都不成氣候※。這些機體對於研發各種裝置和武裝類配備的確有所貢獻，但終究未能奪下主力MS的寶座。另一方面，RGM-79型則是憑藉生產數量之多而受到重視，得以在反覆施加改良的情況下一路運用到U.C.0090年代。

※金平島工廠的試作機
雖然誕生自金平島工廠的量產評估用試作機未獲得制式採用，但亦有證言指出，其一部分研發作業後來移交給新幾內亞工廠。據說這部分的具體成果即是RMS-154「巴薩姆」，但究竟影響程度如何就不得而知了。無論如何，與其稱RMS-154是RGM-79Q的直系子孫，不如說這個機種在定位上為格里普斯工廠製RX-178的簡易量產機來得貼切，這點相信已用不著贅言敘述。

CAUTION/MODEX : RX-121
RX-121 警示標誌／識別編號

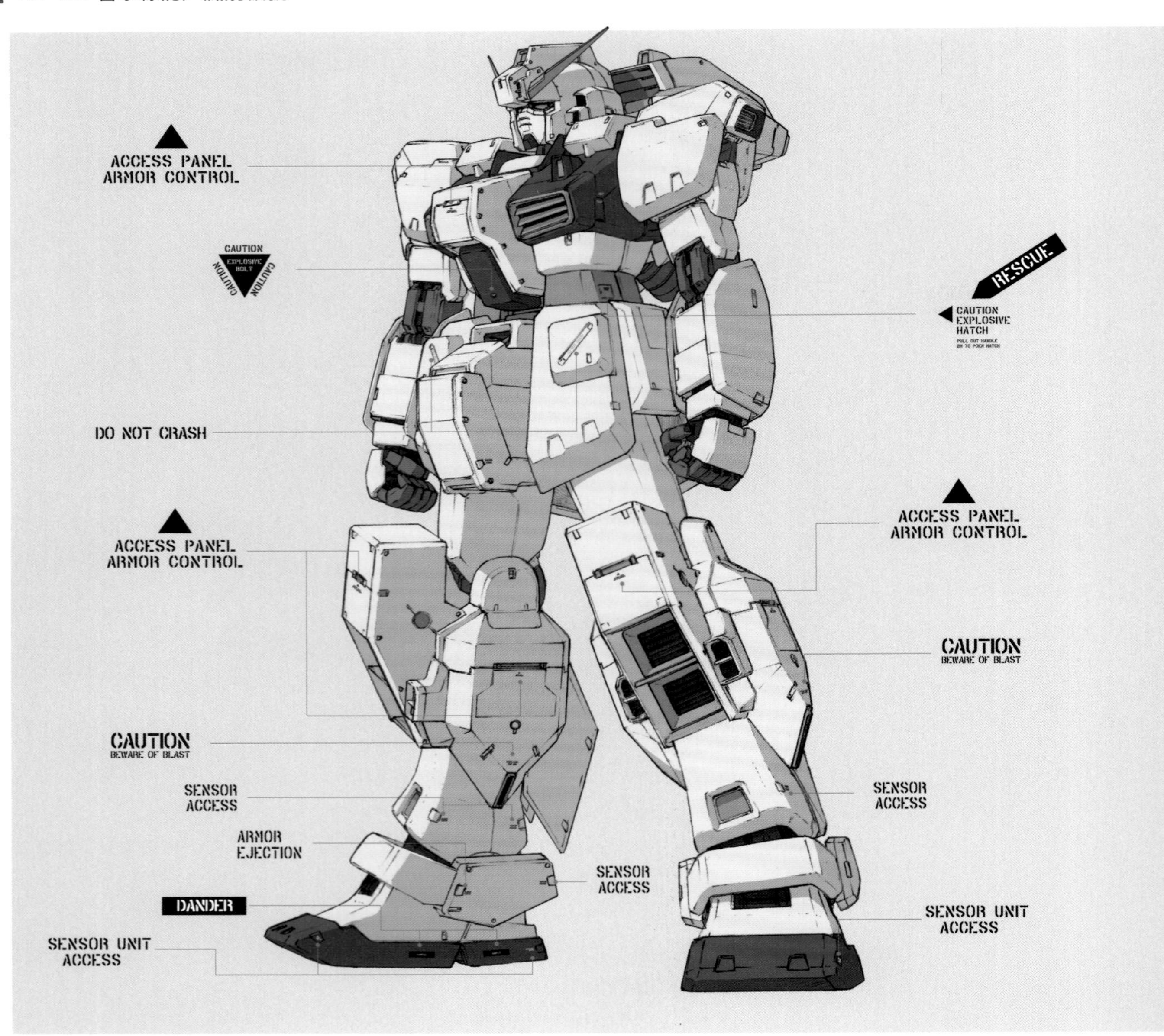

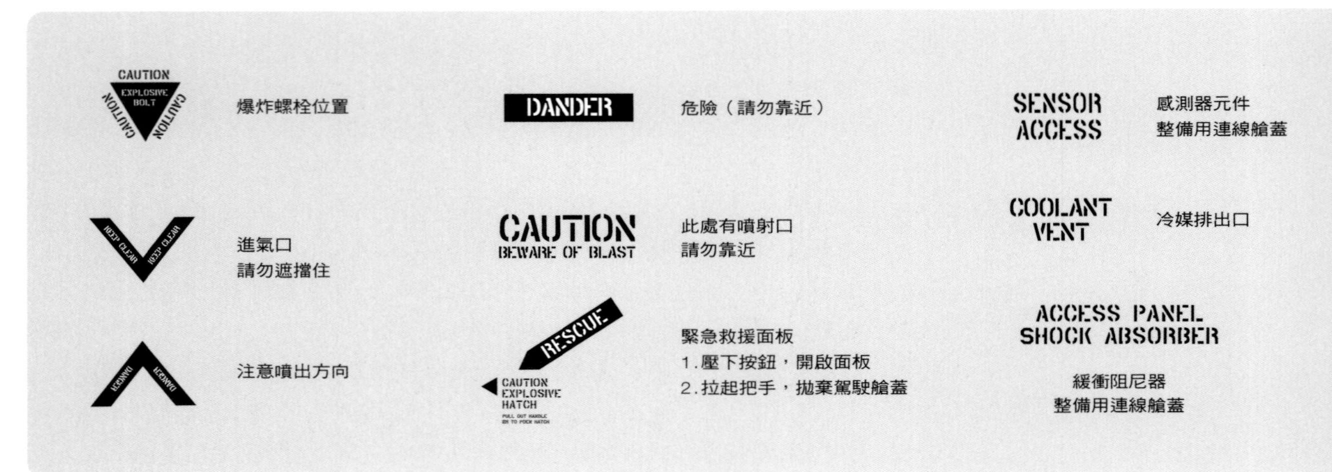

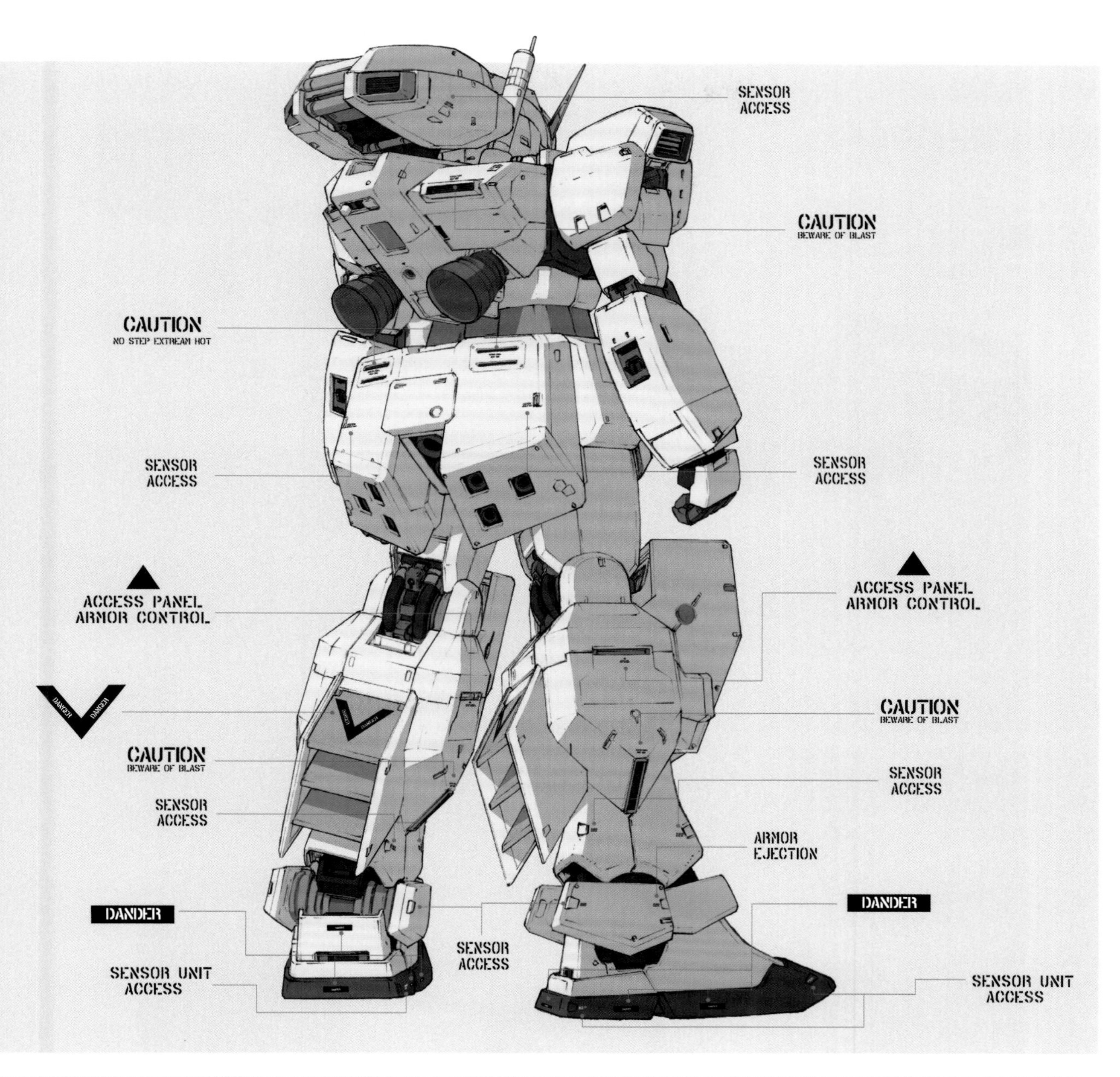

NO STEP
請勿踩踏（請勿進入）

KEEP
CLEAR
請勿阻礙運作

CAUTION
注意

地球聯邦軍徽章 地球聯邦陸軍徽章 地球聯邦宇宙軍徽章 迪坦斯徽章

識別編號

ARMAMENTS
RGM-79配備武裝

BOWA BR-M-79F-1
光束噴槍

Spec
規格

F

型式編號：BOWA BR-M-79F-1
裝彈數：充滿電一次16發
輸出功率：1.5MW
研發：波瓦公司

雖然BR-M-79C-1光束噴槍以MS用攜行式光束兵器的面貌響亮登場，在地面上運用時卻頻頻發生狀況。不僅有著大氣造成光束衰減的問題，更有案例指出，視天候而定，即使是在有效射程範圍內，亦無法給予敵方MS致命性打擊。波瓦公司為了解決這類問題所試作的產品正是這款79F-1型，甚至提供給同時期出廠的RGM-79F使用。這個型號除了更改槍管部位的構造之外，還追加搭載兼具光束加速器機能的罐狀電池包，得以提高單發模式的光束聚焦率。由於以上處置方式獲得一定的成果，因此後來的79F-3A型光束槍也沿襲這類設計。

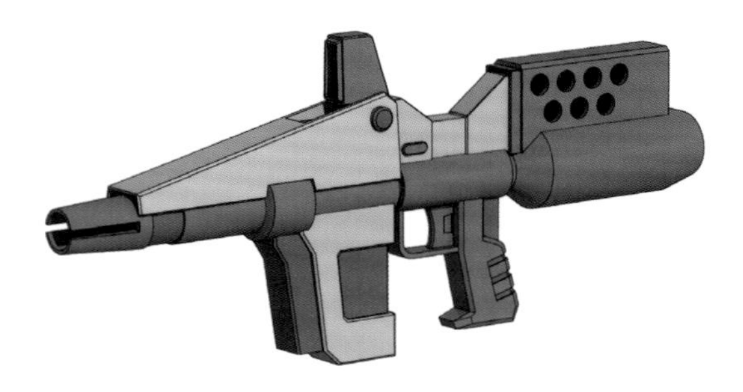

BOWA BR-M-79C-2D
光束噴槍

Spec
規格

F/FD

型式編號：BOWA BR-M-79C-2D
裝彈數：充滿電一次16發
輸出功率：1.5MW
研發：波瓦公司

相對於左方那挺79F-1型是藉由追加電池包，以期提高光束聚焦率（於單發模式時），同時期研發的79C-2型則是往改良79C-1型這個方向進行設計。除了為延長光束加速器而加長槍管之外，更撤除提把，改為全新搭載射擊專用感測器。如此修改後，原本仰賴頭部感測器的射控系統亦能從兵裝處提供輔助，得以提高命中精確度。不僅如此，在79C-2型中尚有在編號末尾加上D字的型號，這代表槍身有進一步加裝陶瓷製外罩。該零件為防塵罩，屬於考量在沙漠等乾燥地帶運用所需才增設的裝備。

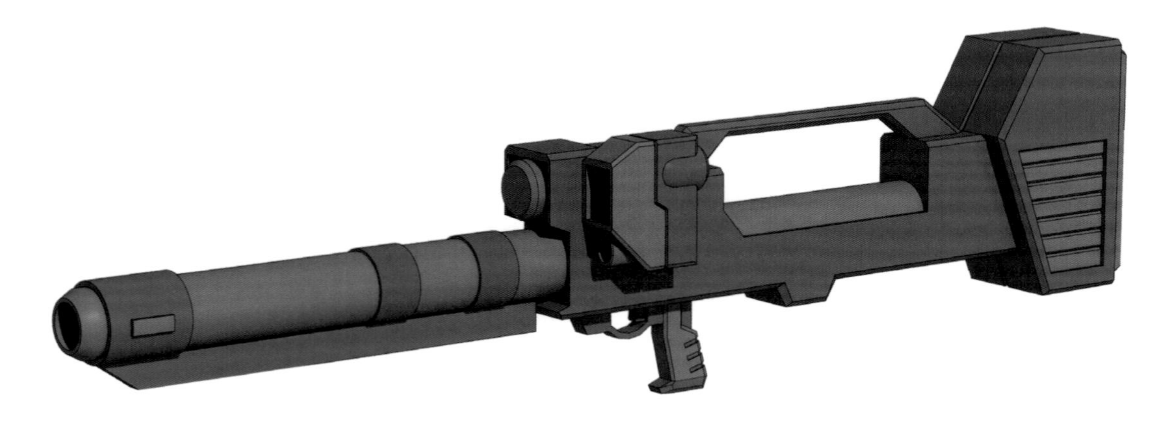

YHI YF-RC180
磁軌加農砲

Spec
規格

F

型式編號：YHI YF-RC180
口徑：180㎜
裝彈數：4～8發（推測）
研發：八洲重工業

初期光束兵器苦於大氣造成光束衰減的難題，八洲重工業針對這點所提出的解決方案，正是源自海上船艦用艦砲的磁軌加農砲。雖然必須全新設計供彈裝置，但除此以外的基礎構造均能徹底沿用既有兵器，得以在極短的期間內研發完成。

YHI YF-RC155
磁軌加農砲

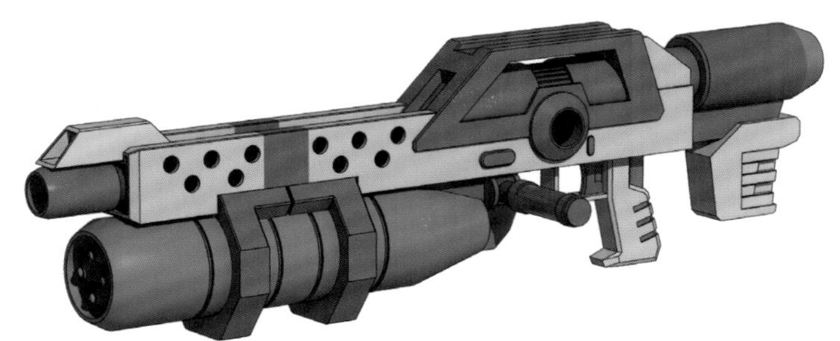

Spec

規格
F/FD

型式編號：YHI YF-RC155
口徑：155㎜
裝彈數：4～6發（推測）
研發：八洲重工業

這是繼YF-RC180之後研發的MS用攜行式磁軌加農砲。口徑從180毫米縮減成可沿用61式戰車主砲彈的155㎜，整體尺寸縮小約兩號，連帶提高了運用時的便利性。另外，為了彌補縮減口徑後所降低的火力，槍身下側另外搭載了四連裝飛彈發射器。不僅如此，據説該連接處亦能改為掛載超級燒夷彈發射器、八連裝小型飛彈發射器等裝備。

BOWA BG-M-79F-3A
光束槍

Spec

規格
F/FD

型式編號：BOWA BG-M-79F-3A
裝彈數：充滿電一次12發
輸出功率：1.6MW
研發：波瓦公司

這是以79F-2型後繼版本型式研發的裝備，施加諸如將罐狀電池包改設置在主體尾端上側之類的構造調整，藉此使配重達到最佳化，同時也提高射擊時的穩定性。另外，由於光束彈的輸出功率、聚焦率、速射性均獲得提升，因此除了針對這個型號全新制訂光束槍這個類別之外，型式也改成了「BG」。

HFW GMG MG79-90mm
吉姆機關槍

Spec

規格
F/FD

型式編號：HFW GMG・MG79-90㎜
口徑：90㎜
裝彈數：20發
地面上有效射程：5,300m
彈頭：穿甲榴彈SU-β、反艦穿甲彈AS-γ、成形裝藥彈FW-ν
研發：霍利菲爾德兵工廠公司

這是不拘大氣層內外、廣泛使用的MS用標準兵裝。雖然口徑為90毫米，比初期的100毫米機關槍小，卻藉著採用新型火藥而提高槍口初速，對公國軍製MS的裝甲照樣能發揮十足的貫穿力。另外，90毫米口徑彈本身也是當時聯邦陸軍戰鬥車輛採用的標準彈藥，因此就補給面來説也有著諸多優點。

YHI YF-MG100
量產試作型100㎜吉姆機關槍

Spec

規格
FP
FC

型式編號：YHI YF-MG100
口徑：100㎜
裝彈數：28發
地面有效射程：5,500m
彈頭：穿甲榴彈YCC-4、反艦穿甲彈YAS-L2、成形裝藥彈THT-A1
研發：八洲重工業

這是八洲重工業製的試作型MS攜行式兵裝，備有盒形彈匣的小巧造型正是特徵所在。由於初期光束兵器有著大氣造成光束衰減的問題，因此對陸軍部隊來説，這種槍械格外方便好用。後來雖一度決定中止生產，但卻在基層部隊的強烈要求下恢復生產，之後也就一路運用到戰爭結束。不過隨著戰後推動的合理部署計畫將彈藥統一為90毫米口徑彈，這種槍械也不得不淡出戰場。

HFW GMG MG82-90mm
吉姆步槍

Spec

規格 | N | Q

型式編號：HFW GR・MR82-90mm
口徑：90mm
裝彈數：30發
地面有效射程：6,200m
彈頭：穿甲榴彈GU-κ（55.6mm砲彈）
研發：霍利菲爾德兵工廠公司

這是霍利菲爾德兵工廠公司基於系統武裝構想，進而設計出的MS用步槍。整體是以MG79型機關槍為基礎，施加延長槍管等改良而成。由於戰後研發的RGM-79N「吉姆特裝型」和RGM-79Q「吉姆鎮暴型」均採用這種槍械作為標準兵裝，因此需求量亦隨之大幅增加，結果一路使用到U.C.0090年代後期，服役時間可說是相當長久。

BOWA BR-M-79C-3
光束噴槍

Spec

規格 | N | Q

型式編號：BOWA BR-M-79C-3
裝彈數：充滿電一次16發
輸出功率：1.5MW
研發：波瓦公司

以標準規格的光束噴槍來說，這是屬於第三世代的型號。79C-2型嘗試性地採用的感測器系統出乎意料地獲得好評，於是便沿襲該設計。不僅如此，亦成功地做到提高光束彈輸出功率和擴大有效射程範圍等改良，而且隨著技術面更為成熟，得以將整體縮減為小一號的尺寸。
由於自大戰後期開始生產的RGM-79C「吉姆改」將這款槍械列為標準裝備，因此得以持續生產到U.C.0080年代中期。

BOWA BR-M-79C-1
光束噴槍

Spec

規格 | F | F/FD

型式編號：BOWA BR-M-79C-1
裝彈數：充滿電一次16發
輸出功率：1.4MW
研發：波瓦公司

這是由波瓦公司擔綱設計與研發的MS用攜行式光束兵器。以「光束噴槍」這個暱稱為人所熟知，亦作為吉姆家族機體的標準兵裝而有著活躍表現。本裝備的首要優點，正在於即使是1,250千瓦級的發動機也能驅動使用。雖然在威力方面確實不如光束步槍，不過輸出功率較低的初期型RGM-79亦能穩定運用，這點倒是獲得了高度肯定。不過受限於光束在大氣層內會衰減的問題，導致表現不如實體彈兵裝。

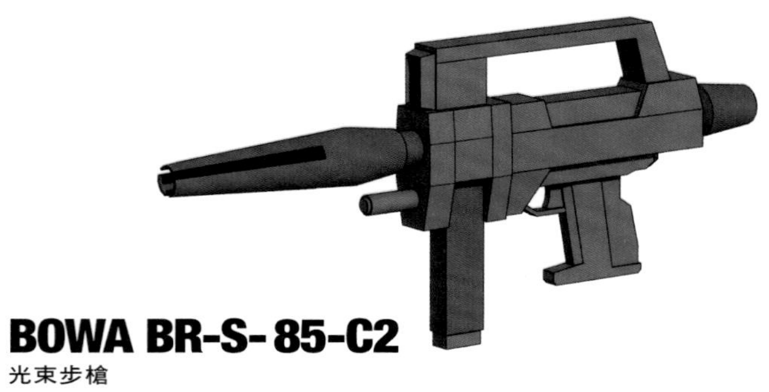

BOWA BR-S-85-C2
光束步槍

Spec

規格 | Q

型式編號：BOWA BR-S-85-C2
裝彈數：充滿電一次24發
輸出功率：1.9MW
研發：波瓦公司

這種光束步槍是波瓦公司依循戰後公布的合理部署計畫研發而成。在以戰爭期間研發的BR-S-85-L3狙擊光束步槍為基礎之餘，隨著戰後的能量CAP技術有所進步，亦成功地大幅縮減了整體尺寸。由於在U.C.0080年代中期，原有的光束噴槍生產線已全數改為製造85-C2型，因此在E彈匣式光束兵器問世之前，這幾年裡也生產不少數量。

NFHI GMG-TYPE2

吉姆機關槍

Spec

規格
FP
FC

型式編號：NFHI GMG-TYPE2
口徑：90mm
裝彈數：35發
地面有效射程：4,500m
彈頭：穿甲榴彈NL-3、成形裝藥彈NHT-2、GA3槍榴彈
研發：諾福克產業

這是諾福克產業為了與HFW公司製MG79型競爭而研發的MS用攜行式裝備。雖然口徑和MG79型一樣是90毫米，裝彈數卻是達1.5倍之多的35發。只是相對地必須採用把直式彈匣設置於前側兼作握把的設計，造成槍管長度有限，導致初速和集彈率較差的問題。在研發團隊擔憂可能不會獲得採用的情況下，後來乾脆製造了追加防寒裝備的型號，得以供應一定程度的數量給寒帶機型使用。

BLASH XBR-M-79E

光束步槍

Spec

規格
FP
FC

型式編號：BLASH XBR-M-79E（P.B.R-0079/A12 S-0000204）
裝彈數：充滿電一次12～16發
輸出功率：1.9MW
研發：普拉修公司

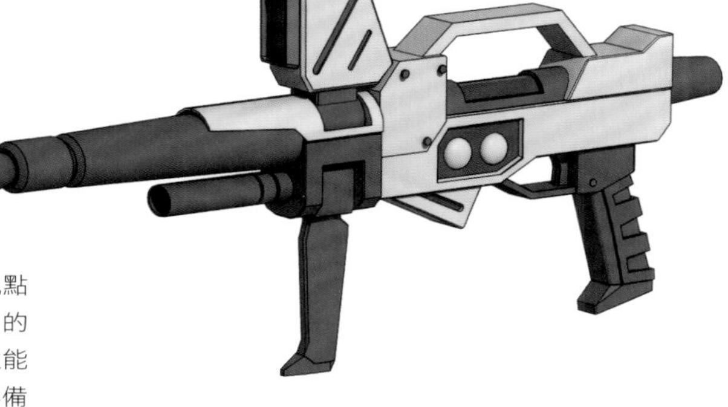

這種光束步槍是普拉修公司接受聯邦陸軍所委託，基於主要運用地點為大氣層內的設想研發而成。由於在沿襲RX-78用XBR-M-79-07G的構造之餘，亦展開重新設計，因此對於不滿M-79C-1型光束噴槍性能的陸軍系部隊來說，這堪稱是期盼已久的「好用」光束兵器，自然備受支持。附帶一提，感測器組件採用了授權生產的波瓦公司製組件。

HFW GR MLR79-90mm

長管步槍

Spec

規格
N
Q

型式編號：HFW GR・MLR79-90mm
裝彈數：120發
地面有效射程：6,900m
彈頭：穿甲榴彈GU-σ（55.6mm砲彈）
研發：霍利菲爾德兵工廠公司

這是HFW公司製長管步槍。在沿用MG79型的基礎構造之餘，亦裝設了浮動型槍管。為了充分發揮經延長後的有效射程，特別在槍口下方設置雙腳架（穩定用雙腳架）等機構，藉此提高射擊時的穩定性，亦奠定了身為優秀狙擊步槍的地位。到了戰後，雖然就連狙擊步槍領域也被達到全盛時期的光束兵器所取代，但即便如此，以大氣層內的環境來說，視雨天等天候變化而定，亦有光束衰減幅度超過容許範圍的事例。因此對於迪坦斯系的特種部隊單位來說，依然選擇繼續運用MLR79型長管步槍作為第二選項。

NFHI RGM-M-Sh-AGD

對MS戰用護盾Ⅱ

Spec

規格

N

Q

型式編號：NFHI RGM-M-Sh-AGD
材質：鈦合金陶瓷複合材質
研發：諾福克產業

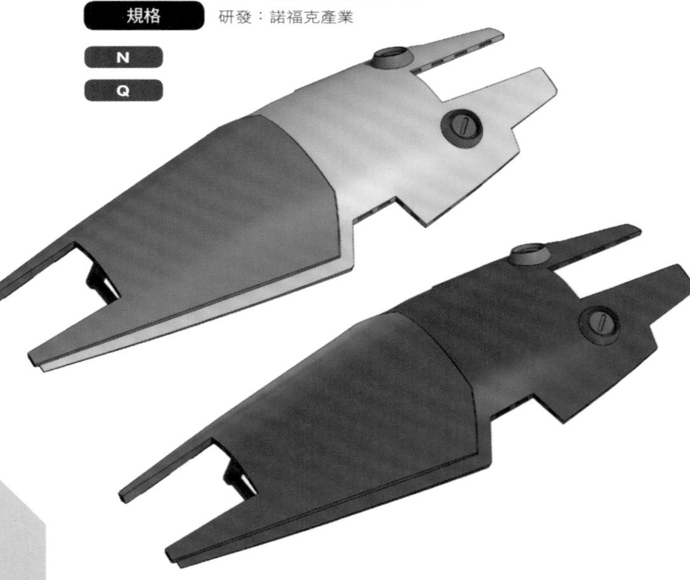

這是預期可減輕動能和造成跳彈效果，因此表面採用曲面設計的鈦合金陶瓷複合材質製護盾。下緣刻意設計成鉤爪狀，除了可藉此刺進地面、立起架設之外，該處在近接戰鬥時亦能作為刺擊兵器使用。另外，為了提高裝甲表面的熱容量，於是施加抗光束覆膜等處理，這種將光束兵器防禦對策納為標準規格做法也特別值得一提。

FADEGEL RGM-M-Sh-003

對MS戰用護盾

Spec

規格

F

F/FD

型式編號：FADEGEL RGM-M-Sh-003（007）
材質：月神鈦合金
研發：法德格爾公司

RGM-M-Sh- 007

這是配合RX計畫設計的MS用護盾。裝甲材質採用了具有出色剛性的月神鈦合金，就算在極近距離內被公國軍機體的120毫米彈給擊中，亦能近乎完全抵禦。不過抗光束覆膜並未包含在標準規格中，直到大戰後期奠定該技術後才陸續獲得套用。後來尚有將裝甲材質更換為鈦合金陶瓷複合材質的Sh-007等型號問世。

BLASH HB-L-03/N-STD

超絕火箭砲

Spec

規格

F

F/FD

型式編號：BLASH HB-L-03/N-STD
口徑：380㎜／270㎜／75㎜
裝彈數：5發
彈頭：一般榴彈、反艦榴彈、其他
研發：普拉修公司

這是普拉修公司研發的MS用攜行式火器。主要研發目的是用來攻擊宇宙船艦、人造衛星、陸上戰艦之類戰鬥速度較慢的目標，還有以碉堡為首的基地設施。由於砲彈是運用特殊技術裝填在盒形固體外殼裡，因此能發射75毫米～380毫米各式砲彈，這等多功能性獲得了高度肯定。圖片中為搭載射控輔助用可動式大型感測器的型號，後來亦有省略該感測器的版本，以及改裝為可更換彈倉的型號問世。

YHI RGM-S-Sh-SP
帶刺護盾

Spec
規格 型式編號：YHI RGM-S-Sh-SP
材質：鈦合金陶瓷複合材質
研發：八洲重工業

FP
FC

這是以RGM-S-Sh-WF多功能護盾為基礎，配合格鬥戰用機型RGM-79FP「吉姆打擊型」改良而成的型號。作為近接戰鬥用的毆擊兵器，下緣新增設兩具貫釘機。

YHI RGM-S-Sh-BC
鉗夾護盾

Spec
規格 型式編號：YHI RGM-S-Sh-BC
材質：鈦合金陶瓷複合材質
研發：八洲重工業

FP
FC

這是為RGM-S-Sh-WF多功能護盾配備可獨立運作的三具大型鉤爪而成。雖然能「鉗夾」住目標物，不過受限於目標本身也有一定的重量，其實難以自由揮舞，想要隨心所欲地操作的話，需要經過練習掌握住訣竅才行。

YHI RGM-S-Sh-WF
多功能護盾改

Spec
規格 型式編號：YHI RGM-S-Sh-WF
材質：鈦合金陶瓷複合材質
研發：八洲重工業

F
F/FD

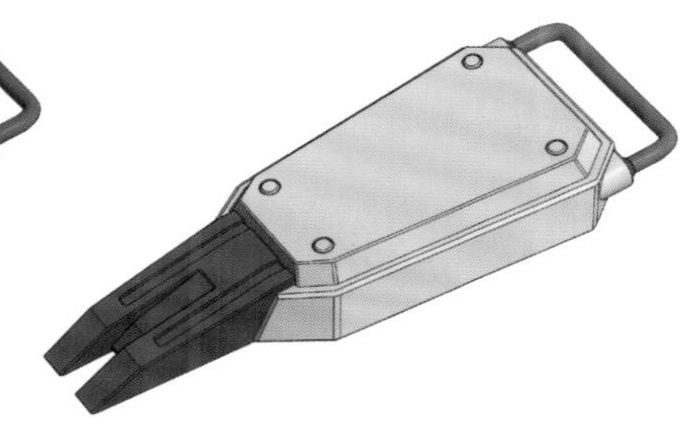

鈦合金陶瓷複合材質製的RGM-S-Sh-WF雖然既輕盈又便於靈活使用，卻也有著耐彈性不夠高的問題，相當容易受到損傷。因此亦有經由前線修改增加裝甲厚度的這種型號存在。

BLASH HB-L-07/N-STD
超絕火箭砲

Spec
規格 型式編號：BLASH HB-L-07/N-STD
口徑：380mm／360mm
裝彈數：7(5)發
彈頭：一般榴彈、反艦榴彈、其他
研發：普拉修公司

N
Q

這種支援火器是由戰爭期間研發的BLASH HB-L-03/N-STD超絕火箭砲進一步發展而成。隨著採用了完全密閉式的彈匣，得以便於更換彈倉這點是首要特徵所在。不僅如此，還採用了波瓦公司製固定式感測器組件，就連射擊精確度也獲得了提升。從U.C.0080年代中期開始引進之後，到了格里普斯戰役已是迪坦斯和幽谷雙方都有使用的武裝。由於尚有極為牢靠又易於維修整備的優點，因此一路運用到了U.C.0090年代後期。

STAFF

Mechanical Illustrations
瀧川虚至 Kyoshi Takigawa

Writers
大脇千尋 Chihiro Owaki
大里 元 Gen Osato
榊 征人 Masahito Sakaki
橋村 空 Kuu Hashimura

3D CG Modeling Works
ハギハラシンイチ Shinichi Hagihara (number4 graphics)
大里 元 Gen Osato
河津潔範 Kiyonori Kawatsu
吉野英武 Emu Yoshino

3D CG Direction
ハギハラシンイチ Shinichi Hagihara (number4 graphics)

SFX Works
GA Graphic編集部 GA Graphic

Cover & Design Works
ハギハラシンイチ Shinichi Hagihara (number4 graphics)
河津潔範 Kiyonori Kawatsu

Editors
佐藤 元 Hajime Sato
小芝龍馬 Ryoma Koshiba
村上 元 Hajime Murakami

Adviser
巻島顎人 Agito Makishima

Special Thanks
株式会社サンライズ SUNRISE Inc.

※背景寫真提供
sammy sammy
佐藤 充 Mitsuru Sato
長瀬奈津子 Natsuko Nagase

※圖版彩色協力
有村 寛 Hiroshi Arimura
吉野英武 Emu Yoshino

機動戰士終極檔案 RGM-79 吉姆 Vol.2

出版 楓樹林出版事業有限公司
地址 新北市板橋區信義路 163 巷 3 號 10 樓
郵政劃撥 19907596 楓書坊文化出版社
網址 www.maplebook.com.tw
電話 02-2957-6096
傳真 02-2957-6435
翻譯 FORTRESS
責任編輯 江婉瑄
內文排版 楊亞容
港澳經銷 泛華發行代理有限公司
定價 380 元
初版日期 2020年7月

國家圖書館出版品預行編目資料

機動戰士終極檔案RGM79吉姆. vol.2 / GA Graphic作；FORTRESS翻譯. -- 初版. -- 新北市：楓樹林, 2020.07 面； 公分

ISBN 978-957-9501-81-1 (平裝)

1. 玩具 2. 模型

479.8 109006035